우리 삶에 더 많아질 봄날을 꿈꾸며

우리들의 봄

김경아 김나림 김명희 김민아 김민주 김보배 김은정 류수진
문상희 민다안 박보배 박수진 박언주 변혜영 손지주 송태순
신임선 윤경희 윤향옥 이선정 이성숙 이숙현 이숙희 이정금
이정숙 이정안 임윤진 장윤진 조경미 최경순 최영혜 황원영

대경북스

우리들의 봄

1판 1쇄 인쇄 2023년 5월 1일
1판 1쇄 발행 2023년 5월 3일

발행인 김영대
편집디자인 임나영
펴낸 곳 대경북스
등록번호 제 1-1003호
주소 서울시 강동구 천중로42길 45(길동 379-15) 2F
전화 (02)485-1988, 485-2586~87
팩스 (02)485-1488
홈페이지 http://www.dkbooks.co.kr
e-mail dkbooks@chol.com

ISBN 978-89-5676-956-1

아하! 글쓰기

'내 인생, 이대로 괜찮은가?
아니라면 무엇을 어떻게 변화시켜야 하는가?'
다른 삶을 살기로 했다. 책 쓰기와 책 출간으로 말이다.

《모닝페이지 혁명》첫 책을 출간하기까지 많은 용기와 시간이 필요했다. 하지만 그 뒤부터는 조금 더 쉽게 책을 쓸 수 있었다. 세상에 나온 책들이 내 삶을 풍성하게 만들어 주었다. 만나는 사람들이 많아지고 강의할 기회도 많아지고 자신감도 생겨났다.

책을 쓰고 출간하는 과정 속에서 느끼고 배우게 된 것들을 함께 하는 팀원과 나누어야겠다고 생각했다. 함께의 힘은 크다는 사실을 알기 때문이다.

2023년 530클럽(새벽 독서 모임) 멤버들과 함께 책을 쓰기로 결정했다. 매주 토요일 아침 6시, 제주에서 서울에서 울산에서 구미에서 김천에서 대구에서 우리는 줌으로 만났다. 그리고 글을 적었다.

글 쓰는 시간, 우리는 엄마를 만나고 나를 만났다.
어느새 우리는 울고 있었다. 자신을 진하게 만나니 안쓰럽기도 하고 그동안 몰라주어 미안하기도 했다. 특히 '태아인 엄마에게 편지쓰기 시간'에는 모두 울었다. 한 글자도 써 내려가지 못하고 서로의 진솔한 이야기에 눈물 콧물 범벅이었다.
아하! 엄마를 만나니, 나를 만나니 뜨거운 사랑을 느낄 수 있는 거구나!
아하! 엄마를 만나니, 나를 만나니 이렇게 좋구나!
아하! 글쓰기, 참 잘했다!
공저를 하면서 깨달았다.

우리 글쓰기 동지들에게 하고 싶은 말이 있다.

그냥 써 보는 용기, 칭찬합니다.
예쁜 배경에 나의 글이 책으로 인쇄되어 나오는 기쁨을 마음껏 느껴 보게요.
'책을 쓴다는 것은 지금과는 다른 삶을 살기로 결심한 사람들의 행위다.'라는 글을 인용합니다.
자신을 지극히 사랑하는 사람만이 시작할 수 있는 책 쓰기를 선택해 주셔서 기쁩니다.

양을 축적하고 나면 더 좋은 글을 쓸 수 있을 겁니다.

과정 없는 결실 없듯, 앞으로도 '책 쓰기 과정'을 선택해 주세요.

함께 글쓰기, 참 좋지요?

우리 독자 여러분께도 '함께 글 쓰자'는 말씀을 정중히 드립니다.

여러분의 삶에 봄날이 더 많아질 겁니다.

우리들의 봄을 마무리하며

연오당에서

이정숙

1장 바라 봄 : 나의 글은 이미 알고 있다

2장 이어 봄 : 태아의 엄마에게

1장

바라 봄 : 나의 글은 이미 알고 있다

나는 가장 단순한 것들로부터 시작해서
글 쓰는 법을 배우고자 했다.

• 헤밍웨이의 글쓰기. 스마트비즈니스 •

1.

윤향옥_ 그리고 나는, 지금 여기

'뭐 또 한다꼬?'
'그만할 때도 되지 않았나? 3권이나 썼음 됐지.'
'누가 내 글을 봐주기나 하겠어?'
내가 나에게 툭툭 던지는 말들이 성장을 멈추게 했다.

"이정숙 사장님 말이 맞아.
우리가 글쓰기를 해야 에너지가 생겨.
그리고 일도 잘할 수 있어."
장윤진 사장님 말이 내 가슴에 훅! 들어왔다.

"그래. 또 해보지 뭐. 될 때까지!"

그리고 나는,
지금 여기 '624의 봄' 공저 모임에 와 있다.

인생길에 동행하는 사람이 있다는 것은
참으로 행복한 일이다.
좋은 사람, 좋은 도전 덕분에
4번째 책이 나왔다.
감사하다.

2.
김나림_ 삶으로 증명하는 사람

'내가 글쓰기는 무슨?'

몇 개월 동안 반복해서 이정숙 사장님이 글쓰기를 권하셨다.

대답을 안 하는 나에게 전화까지 주셨다.

"저는 올해 목표 달성하기에도 벅차고 시간이 없어요.

왜 이렇게 권하시는 거예요?

목표 달성에 대한 팁을 주세요. 글쓰기는 다음에 하겠습니다!"

"김나림 사장님 원하는 것에 도움이 된다면요?"

전화 통화였지만 눈빛이 보이는 것 같았다.

확신에 찬 에너지에 "해보겠습니다."라고 대답했다.

원하는 목표, 연속 3회 달성!

3권의 책 출간!

이제는 처음 만나는 사람에게 글쓰기를 안내하고 있다.

나는 삶으로 증명하는 사람이 되었다.

"꾸준함은 모든 것을 압도한다."

2023년, 나의 슬로건이다.

매 순간 포기하고 싶을 때 나를 잡아준 말이기도 하다.

한 번 더 글을 쓰게 되었고

소중한 사람들을 지킬 수 있는 힘이 매일 1%씩 생겨났다.

나를 믿는 힘, 글쓰기의 힘으로

소중한 것을 지켜가며 확장하고 있는 나에게 사랑을 보낸다.

3.
김민주_ 누가 뭐라 해도

'이런 글 써도 될까?'
내 글이 아들에게 다시 상처를 줄까 봐 두려웠다.
"네 상황 일부러 알려서 좋은 게 뭐야?"
짧고 굵은 엄마의 물음.
막연한 두려움이 확신이 되어버린 순간,
나를 가둔 감옥의 문은 점점 더 숨을 조여 온다.

'아니야. 책 나오면 첫 번째 독자는 엄마일 거야.'
하고 말겠다는 고집이 발동했고
미친 듯이 글쓰기를 시작했다.
덕분에 나는 감옥에서 탈출하여 빛나는 세상과 마주하였다.

"엄마는 지금도 최고야!"
현실을 부정하고 싶을 때마다
나를 살게 해 준 아들의 따뜻한 응원.
싱글맘으로 살아가는 엄마들에게
지금 이대로 충분하다고
희망과 용기를 선물하는 친구가 되기 위해
주말 새벽 글 쓰는 나.

누가 뭐라 해도 나는 세상에서 최고다!

4.
김보배_ 제 2의 인생

"니가 책을 쓴다고?"

이틀 전 친구들과의 모임에서 도무지 믿어지지 않는다는 표정으로 옥숙이가 말했다.

함께 글을 쓰자 한 동생이

"살면서 재미있는 일 한 가지는 있어야지요."라고 말해주었다.

그렇지!

글쓰기를 배우고 싶었다.

'내가 지식이 있어 보이지 않을까?' 선생님이 된 것처럼 기분이 좋다.

딸 은하, 은영이가 글 쓰는 나를 보며

"어머니가 글도 쓰세요? 대박!"이라고 할 것이다.

평생 일만 하는 어머니가 아닌, 글도 쓰는 어머니의 모습을 보여주고 싶었다.

눈물이 난다.

자랑스러운 어머니가 되고 싶었기 때문이다.

새벽 독서 모임을 하고 있는 내 모습을 바라보며 은하, 은영이는 무슨 생각을 할까?

독서 모임을 하고 난 뒤부터는 화내는 일이 줄었다.

딸들 장단을 맞춰준다.

독서와 글쓰기.

나에게 제2의 인생을 가르쳐 주었다.

5.
윤경희_ 멋진 경험이야

"두려워하지 마! 새로운 경험이잖아."

워킹 맘의 무게를 잠시 내려놓았다.

"언니, 사람들이 많이 하고 싶어 해. 정말 멋진 일이야!"

가족과 지인들 응원으로 내 생애 첫 글쓰기에 도전했다.

배움의 기회에 감사하다. 잘 할 수 있다고 스스로를 격려한다.

"두려움은 자신감으로 점점 승화될 거야."

저 멀리 새벽 제주도 바다.

고기잡이배들이 환한 빛을 내고 있는 이 시각,

나는 펜을 잡았다.

온전히 글쓰기에만 집중해본다.

"그럼. 잘 할 수 있어. 이보다 더 어려운 일은 수없이 많아."

늘 그랬듯이 긍정의 힘으로 스스로에게 가치를 부여해 주었다.

설렘으로 가득 찬 마음은 이미 축배를 든다.

오늘은 좋은 날이다!

하얀 백지장에 처음으로 쓰는 글은 누구나 어려울 것이다. 하지만 스스로를 성찰할 수 있는 기회가 될 수 있어 감사하다.

구름같이 흘러가는 우리 인생에 더해지는 새로운 경험이 어찌 눈부시지 않을 수 있을까?

6

민다안_ 그냥 시작하기만 하면 돼

'아는 지식도 없는데 글쓰기를 선택한 건 잘한 일일까? 안 해 보던 걸 하려니 두렵고 머리가 지끈거린다.'

새벽 독서 모임도 겨우 일어나 참여하고 있는데 글쓰기라니!

'어떻게 써야 될지 생각이 하나도 안 나.'

다들 술술 잘도 쓰네. 신기하네.

책을 읽어야겠다.

하루에 10분이라도 읽어보자.

유영만 저자의 '움직이는 몸이 흘리는 땀은 근육이 감동해서 흘리는 눈물이다.'라는 문장을 읽었다. 새벽 5시, 뉴비트(실내자전거)를 타면서 땀을 흘리고 난 뒤 '624의 봄 공저 모임'을 맞이했다. 긴 글을 읽기 싫어하고 책 읽기를 뒤로 미루던 내가 책까지 내게 되었다.

"아무것도 몰라도 돼. 그냥 시작하기만 하면 돼."라는 문상희 사장님의 말에 '한번 해 보지 뭐!' 결심이 섰다.

새벽 독서 모임 시작 때도 걱정, 두려움, 고민이 가득했었다.

지금은 전출상까지 받았잖아!

글쓰기도 할 수 있을 거야.

민다안, 용기를 내자!

7.
김경아_ 참말이었다

'강의를 듣는다는 것은 강의를 하겠다는 것이고

책을 읽는다는 것은 책을 쓰겠다는 것이다.'

최병철 저자가 입으로 따라 하게 한 말이다.

무심코 중얼거리다 얼버무리고 말았다.

충격적인 발언이었기 때문이다.

강의를 한다고?

책을 쓴다고?

내가?

이정숙 대표님의 "공저를 해보는 것이 어떨까요?"라는 말에

"왜 책을 쓰자고 하시나요?

왜 꼭 그래야 하나요?

이유를 모르겠습니다."라고 되묻기만 했다.

그런 내가 지금 글을 쓰고 있다.

함께 책을 써보고 싶은 사람이 있기 때문이다.

"경아야. 책에 글을 쓴다는 게 무슨 말이야?"

궁금한 것이 많은 보배 언니.

참 고마운 사람이다.

처음 해보는 네트워크 마케팅이 어디 쉽기만 했으랴.

무엇이든 배우고 싶어 했던 그녀의 열정은 나의 첫 파트너이자 베스

트 소비자가 되었다. 무엇이든 "오냐. 알았다. 그래, 그래라."라고 응원해 주었다.

　든든한 후원자였던 언니와 나의 인생에　책을 함께 출간하는 것보다 더 특별한 경험은 없을 듯하다.

　넷플릭스에서 본 영화 〈스티츠: 마음을 다스리는 마스트〉에서 글을 쓰는 것은 치유라고 했다. 우리는 서로가 서로에게 참 괜찮은 사람, 고마운 존재로 함께 치유되고 있음을 느낀다.

　글로 써 보니 별것 아니다.

　글로 써 놓고 보면 다 괜찮은 것이다.

　'책을 읽는다는 것은 책을 쓰겠다는 것'이라는 말은 참말이었다.

8.
이숙희_ 작가로 살 거다

'내가 글쓰기라니? 잘 할 수 있을까?'

가슴이 두근두근거렸다.

어떻게 글을 쓸지 머리가 새하얗다.

글은 누구나 쓸 수 있다는 말에 용기를 내본다.

"엄마. 그만 좀 해!"

딸이 나의 용기를 떨어뜨린다.

왜? 내가 책을 쓴다는데, 피해 준 것도 없는데 왜?

딸은 엄마가 또 뭔 일을 하나 싶은가 보다.

'욱'하는 마음이 올라왔지만, 꾹 참고 "나중에 책이 나오면 맨 먼저 너에게 줄게."라고 말해버렸다. 선포하고 나니 화가 가라앉았다.

딸은 나를 못 믿겠다는 눈치로 쳐다보았지만 난 아니다.

지금 이 순간이 너무 좋다.

난 작가 이숙희가 될 거라서.

《책 쓰기는 애쓰기다》라는 책도 읽어보고 서점도 둘러보고 여러 권의 책을 손에 쥐어 보았다.

오늘은 글쓰기 첫날이다. 우왕좌왕, 뭐부터 해야 할지 몰라서 집중이 안 되었지만, 새벽 6시 백미정 작가님과 글을 쓰기 위해 모인 사람들과 글 쓰고 있는 나를 쉽게 발견할 수 있었다.

엄청난 발전이었다.

시작이 반이라 했으니 이미 반은 성공이다.

몇 줄이지만 글 쓰는 내가 기특하다.

그리고 행복하다.

나의 인생 단어는 '경청'이다. 다른 사람들의 말을 듣는 것보다 내 말을 더 많이 했던 나이다. 상대방의 말이 끝나기도 전에 내가 말을 하는 모습에 스스로 놀랄 때가 여러 번 있었다.

이제는 달라져야 한다. 상대에게 귀 기울여 듣는 것이 얼마나 위대한 행위인지 알기에 이제는 경청을 잘하는 숙희로 살고 싶다. 그래서 잘 듣고 글로 잘 표현하는 작가로 살 거다.

9.

이성숙_ 나와 사람들을 위해

나, 글을 잘 쓸 수 있을까?

글을 잘 쓴다는 게 뭘까?

글쓰기의 재료는 삶이라고 하는데, 그러면 나는 재료가 많다.

망설이는 나에게

'넌 잘 할 수 있어!' 마음이 용기를 주었다.

첫 번째 책 출간 후 친구가 눈물을 흘리며 이야기해 주었다.

"대단해. 해낼 줄 알았어."

또 한 번 용기 내어 글을 써 내려간다.

내 삶의 여정을.

독서를 한다.

저자의 마음과 삶을 경험해 본다.

나도 계속 글을 쓰다 보면 지금보다 잘 쓰겠지?

그래서 진실을 써 보려 한다.

힘들고 지쳐있는 새벽이지만,

함께 할 수 있는 친구가 있음에 감사하며 다시금 용기 내어 본다.

"이성숙! 힘내!"

눈물도 한몫한다.

'암'과 친구가 된 지 3년.

신장 적출 10년.

아이들과 이겨낸 20년의 세월.

구김살 없이 자란 자랑스러운 딸들.

병이 찾아왔을 때 막막했던 현실,

그러나 아픈 이들이 길을 헤맬 때 내가 길잡이가 되어야겠다는 목표가 생겼다.

거기에 더해

이제는 나를 찾고 싶다.

글쓰기와 함께 나를 찾고

많은 사람들에게 용기와 위로를 주는 작가가 될 것이다.

10.
임윤진_ 점점 재미있어진다

'나, 잘 소화해 낼 수 있을까?'

해야 될 일들이 점점 많아진다.

글쓰기 전에 걱정부터 앞선다.

매번 스트레스는 받지만, 해내고 났을 때의 뿌듯함 역시 크다.

"너보다 힘든 사람 많은데 이것밖에 안 되니?"

"다 핑계야."

열심히 달리다 멈칫했을 때 나에게 비수를 꽂는 말들을 들었다.

마음이 블랙홀이 되어, 그냥 쥐구멍에 들어가서 숨어버리고 싶어진다.

'내가 해내고 만다! 내가 너희들보다 더 성장하고 발전하는 사람이 될 거야!'

어느 순간 오기가 생겼다.

멈춰있는 내가 아닌,

앞으로 나아가는 내가 되고 싶어 조금씩 노력하기 시작했다.

벌써 두 번째 책을 쓰고 있는 나를 발견했다.

글쓰기, 점점 재미있어진다.

"살아가면서 너무 늦거나 이른 건 없고,

꿈을 이루는 데 제한 시간은 없다."

하고 싶은 건 너무 많은데 너무 늦었을까 늘 걱정투성이인 나를 위해 말해주는 것 같다. 이제 나는, 또 다른 꿈을 향해 계속해서 나아가는 중이다. 글쓰기와 함께 더 나은 나를 만들어 보려 한다. 변화와 성장을 선택하고자 하는 모두를 위해 파이팅!

11.
박언주_ 24살의 글쓰기

'글을 쓰는 게 많은 변화와 성장을 준다고?'

글쓰기 선배들이 말했다. 책을 낸 작가님이 또 한 번 말한다.

"글을 쓰고 난 뒤, 여러분은 또 한 번 도약하실 거예요."

사실 상상도 되지 않지만 내가 어떻게 변할지 궁금했다.

새로운 도전이 주는 잔잔한 설렘까지 더해졌다.

'그래! 함께라면 할 수 있을 것 같아!'

이번엔 다가온 기회를 잡았다.

귀한 '624의 봄 공저 모임'을 만나게 된 것이다.

"일단 Go!"

지난날을 떠올려보면 일단 해보고 난 후 얻은 가치는

경험 그 자체로 충분했다.

우와!

24살, 글쓰기를 만나니 얼마나 가치로운가!

내가 쓴 문장들을 두고두고 되돌아보며

그때 나는 어떤 사람이었는지,

나의 삶을 기록한다는 것 자체가

내가 나에게 주는 선물이다.

29

나의 지난날을 더욱 사랑할 수 있는 글쓰기를 통해

내 소중한 사람들과 행복을 나누고 있을 미래를 그려본다.

새벽해가 뜨는 바닷가에 서 있는 것 같은,

평화롭고 차분하고 풍요로 가득 찬 마음을 느끼고 있을 테다.

12.
김은정_ 마음먹었다

'내가 글을 쓴다고? 작가가 되어본다고? 이게 무슨 말이지?'

뜬금없이 함께 공저를 해보자는 지인의 이야기를 듣고 처음 떠오른 생각들이다.

시간은 지나고 2월 11일 토요일 새벽이 되었다.

졸린 눈을 비비며 줌 화면을 띄웠다.

함께 하는 분들을 보면서도 도대체 지금 내가 무엇을 하는지

의구심만 가득했다.

말도 안 되는 상황이었다.

그런데 글쓰기 선생님의 이야기에 귀가 기울여지고

공저 공간에 점점 빠져드는 나를 발견했다.

여전히 '지금 내가 무엇을 하고 있나?' 싶은 생각이 문득문득 들면서도

손에 든 볼펜으로 글을 써 내려가는 나를 발견하고는

무슨 마법에 빠진 것 같기도 했다.

'어떤 마법일까?' 잠시 생각해 보았다.

'그래. 글쓰기가 별 건가. 한글을 배운 사람이라면 누구나 할 수 있는 것 아닌가!'

초등학교 시절, 숙제로 억지로 썼던 일기도 떠오르고

중학교 시절, 군인 아저씨에게 써 내려간 몇 통의 위문편지도 스쳐 지나간다.

청춘 때 잘생긴 학교 선배에게 건넸던 연애편지도 있지 않은가?

지나간 인생의 어느 시점에,

나는 이미 작가였던 순간이 있었음을 깨달았다.

'내 인생의 남은 날 중 지금이, 오늘이 가장 젊은 날'이라는 말도 지금 나에게 용기를 준다.

위인전에 실릴만한 사람도 아니고

자서전을 쓸 만큼 큰 성공을 거둔 사람도 아니지만

세상에 '나'란 사람은 한 명뿐이다.

그것만으로도 충분히 자격이 되지 않을까?

용기를 가지고 끝까지 열심히 해보자.

남아있는 글쓰기 시간을 통해 나를 돌아보는 시간을 만들어보자.

내 인생과 나를 객관적으로 바라보고, 분석해보고, 파헤쳐보자.

나는 마음먹었다.

작가가 되기로!

13.

손지주 _ 마법의 단어

"왜 이렇게 했어?"

"내가 지금 하는 게 맞는 거니?"

내 행동의 이유를 스스로 못 찾을 때가 가끔 있었다.

'이제는 바뀌어야겠다.'

나와 대화를 해야겠다고 다짐했다.

오늘의 글쓰기가 나와 처음 마주하는 날이 되었다.

'나도 같은 사람인데, 못할 거 없지.'

마음의 시야가 밝아지고 넓어지면서 집중력이 솟았다.

지금 글쓰기 수업을 들으며 내 안의 나와 대화하는 중이다.

"돌이켜보면 별거 아냐."

고되었던 삶의 구간들이 스쳐 지나간다.

다 헤쳐 나갔기에 지금의 내가 있다.

'지레 겁먹지 말자.' 주문처럼 외워본다.

글쓰기,

어렵고 망설여지는 단어였지만

이젠 나를 만들어가는 마법의 단어가 되었다.

14.
황원영_ 내가 주인공이다

처음 글쓰기 이야기를 들었을 때 설렜다.

나도 작가가 될 수 있다는 말에 은근히 기대감이 커지는 내 마음을 알았다.

새벽에 일어나는 건 문제가 되지 않았다.

새벽 독서 모임을 만나기 전에도 난 항상 5시에 일어나서 뉴스를 보거나 하루 일과를 생각하고 있었으니까.

몇 명의 지인들에게 글을 쓴다고 이야기 했다.

"니가 글을 쓴다고? 해 봐." 콧방귀를 끼는 사람도 있었고,

"정말 대단해요. 응원합니다." 미소를 보내주는 사람도 있었다.

그날 집에 와서 생각했다.

좋은 이야기보다 나쁜 이야기가 기억에 더 남았지만 난 생각했다.

'그래. 난 너희들하고 달라. 한번 해 보는 거지 뭐!'

10칸짜리 아이들 노트에 글 쓰는 내 모습이 좋았다.

나쁜 이야기는 얼른 잊어버리고 다시 시작하자고 다짐하는 내가 좋다.

글 쓰는 시간, 내가 선택했다.

글 쓰는 시간, 내가 주인공이다.

15.
이정숙_ 감사하는 삶 감탄하는 삶

'이제 책 쓰기 그만할까 보다.'

남편에게서 힘 빠지는 소리를 들었기 때문이다.

"책 쓰기가 당신과 팀들의 비즈니스에 도움이 된다고 생각해?"

그리고 책 쓰기를 함께 하지 않는 지인들이 곱지 않은 시선을 보낼 때, 주눅이 들었던 적이 한두 번이 아니었다.

"한번 써봤으면 됐지, 왜 자꾸 글쓰기로 시간과 돈을 낭비하는 거예요?"라는 말을 들었을 때는 내 몸과 마음이 깊은 바다로 풍덩 빠지는 느낌이었다.

매일 글을 쓰고 있다.

또 책 쓰기를 하고 있다.

책이라는 성과물을 남겨서 성장하는 작가들을 보았다.

가장 가까이서 본, 계속 책을 출간하고 있는 유영만 저자와 백미정 저자의 매년 성장하는 모습에 감탄하는 요즈음이다.

'624의 4계절'이라는 주제로, 올해 4번의 공저 모임을 가지고 싶다는 생각을 했다.

30여 명의 예비 작가들과 토요일 새벽 6시에 글쓰기 수업을 하고 공저를 출간하기로 했다.

함께의 힘은 강하다는 것을 또 한 번 깨닫는 시간이 되었다.

'감탄하는 세상이 펼쳐진다.'

유영만 저자의 《글쓰기는 애쓰기다》에서 가지고 온 글이다.

살아온 시간보다 살아갈 미래가 더욱 기대되기 때문에,

그래서 감탄할 일이 더 많을 것이기 때문에

나는 글을 쓴다.

글 쓰는 대로 살아진다는 것을 알기에 말이다.

감사하는 삶을 살아갈 것이다.

감탄하는 삶을 살아갈 것이다.

오늘 아침, 글 쓰는 나를 축복한다.

함께 글 쓰는 친구들을 축복한다.

송태순_ 이런 느낌이야

3권의 책을 썼다.

'이제 그만 써도 되잖아? 비즈니스로 성공하겠다면서 글쓰기는 왜?' 한동안 내 마음을 지배했던 생각이다. 최근, '530 클럽'이라는 독서 모임에서 유영만 저자를 알고 난 후 다시 책 쓰기에 도전해야겠다고 다짐했다.

그런데 웬일이야? 새벽 6시에 기상하려니 마음이 변덕을 부린다. 3권의 공저로 출판의 기쁨도 알고, 그래서 네 번째 책 쓰기를 선택했는데 말이다.

'아, 우리는 누구나 불편하고 낯선 것을 싫어하는 경향이 있지. 나 역시 편안하고 쉬운 삶을 선택하고 싶어 했구나. 다시금 도약해야 할 때구나.'

내 마음을 알 수 있는 감사한 새벽 현장이었다.

"당신의 삶은 이미 책 한 권입니다. 경계 너머의 세상을 살고, 읽고, 짓고, 쓰세요." 유영만 저자의 말이다. 경계 너머의 세상을 깨닫기 위해 나는 글을 쓰고 있다.

공저 모임 수업 중간중간, 글 쓰신 학우들의 이야기를 들으면서 함께의 힘을 느꼈다. 협업해서 상생하리라는 결심도 했다. 그래, 해보자. 이런 느낌이야. 3주 후 더 멋지게 성장해 있을 나와 학우들의 모습이 상상된다.

17.

변혜영_ 고구마와 글쓰기

새벽 6시, 글쓰기 수업 첫날이다.

시계 초침 소리만 들리고 써야 할 단어는 떠오르지 않는다.

아니다.

이렇게라도 글을 쓰고 있구나!

글을 쓰면 내가 살아 있음을 느낄 수 있다 했다.

'에이, 됐어.'

생각했던 내가 지금 책 쓰기 모임에서 공부를 하고 있다.

책이 완성되어 저자가 된 내 모습을 상상해 본다.

아, 설렌다.

딸아이가 남편에게 농협 앞 군고구마를 사 와달라고 부탁했다.

남편은 직접 구워 주겠다며 비싼 고구마를 사 왔다.

딸아이가 말했다.

"아빠, 미안하지만 농협 앞 군고구마가 제일 맛있어."

나도 그 고구마가 제일 맛나다.

이거구나, 싶다.

솔직한 삶을 살고 솔직한 생각을 말하듯,

앞으로 내가 쓸 글도 솔직하게만 쓰면 되는구나.

힘들면 힘든 대로,

설레면 설레는 대로,

내 마음을 이렇게 써 내려가야겠다.

18.
최경순_ 글을 쓰고 있는 지금

"니가 책을 썼다고? 니가?"

우씨! 내가 책을 썼다는데, 왜?

비아냥인가?

부러워서 하는 소린가?

나의 변화된 모습에 놀라서일까?

이유야 어찌 되었든,

지금 나는 글을 쓰고 있다.

그래! 두고 봐라.

나는 작가가 되어 나타날 테니.

마음속으로 이미 나는 작가가 되어 있었다.

내 눈에 들어오는 모든 것이 글쓰기의 소재가 되어

3번째 책을 쓰고 있다.

순아!

너는 뭐든지 할 수 있어.

지금까지 잘해왔고.

앞으로도 잘할 거야.

나는 용기 있는 사람이었다.

유영만 저자의 《부자의 1원칙 몸에 투자하라》에서

'나 자신에 대한 자신감을 잃으면 온 세상이 나의 적이 된다.'는 글에

공감했다.

글 쓰는 나는 행복하고

글 쓸 때 나는 힘이 나고

글 쓰고 나니 행복한 내 모습이 보였다.

자신감으로 온 세상이 내 것이 되었다.

이제는 독자들이 행복한 삶, 건강한 삶을 살게 되기를 바라는

작가가 될 것이다.

글을 쓰고 있는 지금,

나는 행복하다.

나는 건강하다.

글쓰기, 자신감이 없었다.

하지만 글을 읽고 자주 감동하면서

'나도 글을 써볼까? 무슨 글이라도 좋으니까!'라고 생각하게 되었다.

며칠 전, 친하게 지내고 있는 지인이

나에게 위로의 선물로 보내준 시가 있었다.

서로가 꽃

나태주

우리는 서로가 꽃이다
꽃이고 기도이다

너 아플 때
걱정했지?
기도하고 싶었지?
그럼 나도 그래

우리는 서로가
기도이고 꽃이다

얼마나 감사하고 감동했는지 모른다.

이어서 중학교 시절부터 지금까지

감사한 사람이 생각나면 읽는 시를 옮겨 본다.

꽃

김춘수

내가 그의 이름을 불러 주기 전에는
그는 다만
하나의 몸짓에 지나지 않았다.

내가 그의 이름을 불러 주었을 때
그는 나에게로 와서
꽃이 되었다.

내가 그의 이름을 불러준 것처럼
나의 이 빛깔과 향기에 알맞는
누가 나의 이름을 불러다오.
그에게로 가서 나도
그의 꽃이 되고 싶다.

우리들은 모두
무엇이 되고 싶다.
너는 나에게 나는 너에게
잊혀지지 않는 하나의 눈짓이 되고 싶다.

짧은 시를 읽으면서
감사하고 기도하는 마음이
소설만큼 길어진다.

시 읽기와 함께 글쓰기는 모두
나 자신을 많이 다독여주었다.
마법 같은 날이 많아지고 있다.

우리의 시,
우리의 글,
우리의 삶은 꽃이었다.
우리의 시,
우리의 글,
우리의 삶은 기도였다.

20.

조경미_ 마음 치료제

"글, 잘 쓸 수 있을까?"

지레 겁부터 난다. 처음이 아닌데 말이다. 글을 쓸 때마다 설렘과 부담감은 늘 함께다. 하루하루 해내야 하는 일정 속에서 글을 쓸 마음의 여유가 있을까 싶지만, 나는 또 용기를 내어 본다.

글쓰기가 나에게 주는 의미가 무엇일까?

곰곰이 생각하니 글쓰기는 '삶 정리'다. 45년 동안 마음 곳곳 쌓아 둔 상처들이 글로 변해 노트에 담긴다. 그리고 마음이 깨끗해진다. 글쓰기는 마음 치료제이다.

글 쓰는 삶을 선택하지 않았다면 아직도 많은 상처들을 쌓아 놓고 있었을 것이다. 글은 나에게 말의 힘을 주었고 다른 이들의 글을 읽고 그들의 삶에 스며들게도 했다. '우와 어떻게 이런 글을 썼지?' 공감의 물결이 쓰나미처럼 밀려오면서 나도 독자에게 감동을 줄 수 있는 글을 쓰게 될 날을 기대하게 된다.

또한 글쓰기는 나의 마음 근육을 늘려 준다. 흥분되어 성난 사자의 목소리로 나를 대하는 고객들을 가끔 만나게 된다. 글쓰기로 축적되어 가고 있는 내공으로 고객의 이야기를 가만히 들어 드린다. 가끔 고개를 끄덕이며 "아, 그러셨군요." 진심 어린 한 마디를 건넨다. 어느새 고객은 화를 누그러뜨리고 자리를 뜬다.

공감! 그렇지! 글쓰기를 통해 나는 진심으로 공감하는 것을 배웠고 삶 속에서 적용 중이다. 더불어 메모의 습관까지 얻게 되어 나의 기억보다 메모의 힘을 누리게 되어 내 삶은 더 예뻐지고 있다.

글쓰기, 내 마음과 내 삶을 진심으로 표현하기만 되는 것이다. 마음 정리까지 되니 글쓰기는 진짜 치료제다. 나는 오늘도 글쓰기로 나를 치료하고 있다.

'한번은 부딪쳐 보는 거야. 박수진! 용기 내 봐!'

언제고 내 삶을 엮은 책을 내고 싶은 꿈이 있었다. 시일을 조금 앞당겨 누군가 손 내밀어 준 것도 기회라고 생각한다. 이렇게라도 하지 않으면 내 꿈은 점점 멀어질 듯했다. 반신반의한 마음으로 게으른 스스로에게 한계를 뛰어넘는 한 번의 기회를 허락하기로 했다.

"수진 씨. 글쓰기가 마음 치유에 도움이 되더라고요. 같이 한번 해 봐요."

나와 비슷한 심장을 가지고 있는 나림 씨의 권유. '치유'라는 단어가 두려움, 머뭇거림, 불안, 설렘, 기대 모든 단어를 대체했다.

"정해진 시간의 줌 참여는 솔직히 부담이긴 한데, 해볼게요."

그래, 나답게 덤벼보는 거다!

수처작주(隨處作主).

어느 곳이든 가는 곳마다 주인이 되는 것. 즉, 나는 내 삶의 주인이 된다. 타인의 시선이 아닌 내가 나의 내면을 응시하는 것이다. 타인이 바라는 삶이 아닌, 스스로 행복한 삶을 위해 오늘도 고군분투해 본다. 세상의 중심에는 내가 있다는 것을 늘 가슴으로 되새긴다.

의식한 것을 글로 옮기며 다짐한다.

가슴으로 새긴다.

모든 영역의 확장으로 스스로를 발전시키는 계기가 되었으면 한다.

나는 나의 내담자가 되어 날 어루만져 준다.

'그만하면 되었다.' 스스로에게 위로와 격려를 건넨다.

내가 선택한 글쓰기가 고통의 끝과 희망의 시작을 알리는 전환점이 되어주길 희망한다.

'내 마음을 글로 쓸 수 있을까?'

글을 쓰려니 모든 사람들 앞에 민낯을 드러내는 기분이 두려웠다.

'내 글을 누가 읽어 주기나 할까?'라는 값싼 생각도 들었다.

포기할까 고민을 여러 번 했었다.

'아니야! 이번에도 용기를 선택해 볼 거야!'

첫 번째 공저를 썼던 동력으로 두 번째 책 쓰기도 열정을 다해 써 보려 한다.

잠시, 미래의 내 모습을 상상해 본다.

이른 아침 5시 30분, 글쓰기 모임에 참여해 소소한 일상의 느낌들을 맘껏 써 내려간다. 그리고 두 번째 공저를 출간했다. 나의 친구, 제자, 지인들은 너도나도 책을 주문해 온다. 닮고 싶은 사람이 나라니, 우와! 신난다! 나는 계속해서 백미정 작가님의 도움을 받아 100권의 책을 쓸 것이다.

《책 쓰기는 애쓰기다》라는 책도 있지 않은가. 결코 쉽지 않은 책 쓰기 여정이지만 나는 한 자 한 자 집중을 해 본다. 말로 다 표현하지 못한 내 인생을 최대한 글로 남기려 한다.

그래서 내 삶을 글로 읽는 독자들에게 글쓰기를 권유하는 작가가 되고 싶다. 글쓰기를 통해 자신의 내면에 숨어 있는 보석을 발견해 보자

이야기하고 싶다. 민낯 좀 드러내면 어떤가. 두려우면 좀 어떤가. 우리는 용기를 선택할 것이다. 우리는 글쓰기를 선택할 것이다. 내 인생은 글로 남겨지기에 충분하니까.

23.
박보배_ 감사의 잔을 들어 내 인생에 건배

'책 쓰기, 꼭 해야 되나?'

'내가 쓴 글, 누가 봐줄까?'

'무슨 이야기를 써?'

'책 쓰기는 나중에 여유롭고 시간이 많을 때 하는 거 아냐?'

지인에게서 같이 책 쓰기 하자는 권유를 받았을 때, 가장 큰 방해꾼은 나 자신이었다. 마음에서 못쓸 이유, 안 할 이유들이 줄줄이 쏟아져 나왔다.

그러나 나의 의지보다 큰 것이 환경이었다.

글을 쓸 수밖에 없는 환경은 사람이었다.

무엇이 그토록 이정숙 작가님을 움직이게 하고 우리를 움직이게 하는가?

매일 아침 한 페이지씩 글 쓰는 작가님의 일상 공유가

나도 모르게 글쓰기의 자연스러운 물길을 타게 되었다.

그래. 써보자!

말이 되든 안 되든 내 말에 귀 기울여 보자.

마음 문 열고 내 생각을 들어 보는 시간, 만들어 보자.

그래서 이번 글쓰기의 독자는 내 안의 나다.

만나 보자. 내 감정들을.

무시하기 일쑤였던 내 감정들을 말이다.

편리하게 사용되었던 나의 방어기제를 벗어볼까 한다.

괜찮은 척, 잘하는 척, 잘 되는 척,
'척' 하는 방어기제를 풀어놓고 내 마음을 종이 위에서 놀게 해 보자.

글쓰기의 위력은 이런 거구나!
벌써 내가 웃는다.
안에서 번지는 미소가 빛으로 나오나 보다.
밝아진다.
내 마음을 내가 챙기면서부터 가짜 미소가 사라지고 진짜 미소가 나
타났다.
나보다 남이 먼저 알아본다.
편안해 보인다 한다.

나의 글쓰기로
결국은 웃고, 울고, 화내고, 분노하고, 춤추는 것.
글쓰기는 삶 쓰기였다.
감사함이 충만해진다.

내 글은 내 마음을 들어 달라 부탁했고
마음의 이야기를 들어주어 감사하다 했다.
이제부터 글쓰기와 감사로 내 삶을 물들여 봐야겠다.
나를 끝까지 믿어주고 지지해준 나에게
감사의 잔을 들어, 내 인생에 건배해 보자.

박보배, 고맙다!

24.
이선정_ 뜨거운 용기

"다시 글을 쓴다면 잘 쓸 수 있을까?"

가끔 쓰는 일기를 제외하면 글을 써 본 적이 없었던 나이다. 유난히 글쓰기에 대한 두려움이 많은 사람 중 하나다. 왜 그럴까 생각해봤다. 책을 많이 읽지 않은 나의 무지함을 만천하에 드러내게 될까 봐 또는 글로 표현하는 것이 익숙하지 않아 내 마음과 내 생각이 다르게 표현될까 봐 두려움이 있었던 것 같다. 내 글이 다른 사람의 글과 비교될까 봐 염려가 되었던 것일 수도 있겠다.

다른 사람에게 잘 보이고 싶은 인정의 욕구가 있었나 보다. 하지만 나는 오늘도 용기를 내어본다. 다시 도전해본다. 글쓰기, 계속 해 보자.

"계속 쓰다 보면 언젠가는 잘 쓸 수 있을 거야."

나는 어느새 글쓰기에 기대감이 생겼다. 작년에 나의 첫 번째 공저 책이 나왔다. 때맞추어 남편의 스튜디오 오픈식이 있었다. 오픈 기념선물로 무엇을 할까 하다가 나의 책 《동네방네 빨강머리 앤》을 선물하게 되었다. 책이 정말 예쁘다고 하며 모두들 대단하다고 얘기해주었다. 조금씩 자신감이 생겼다. 다시 글을 쓴다면 정말 잘 쓰고 싶었다.

또 한 번의 기회가 왔다. 진솔하게 글을 썼다고 이야기해준 친구들과 가족들의 이야기가 생각났다. 다시 도전해보고 싶은 마음으로 오늘 주말 새벽, 두근두근 설렘으로 노트북을 켰다.

"책 읽기의 완성은 글쓰기다."

책을 읽으면서 책의 내용을 흘려버리지 않고 내 것으로 만들기로 했다. 글쓰기를 통해 나의 삶을 돌아보며 관통하는 기회를 다시 만들어보자 생각했다. 필사부터 시작했다. 책을 읽다가 마음에 드는 문장이나 공감가는 글을 따로 노트에 적어놓았다. 책 속의 문장을 인용하여 글을 쓰기도 했다. 독서 모임이나 강의를 들을 때는 정리해서 블로그에 올리기도 했다.

글을 쓴다는 건 나에게 용기가 필요한 일이다. 배우면서 계속 글을 쓰다 보면 언젠가는 잘 쓸 수 있는 날이 오리라 생각한다. 새로운 기회가 왔을 때 용기를 내어 글쓰기를 하고 있는 나를 칭찬하며 뜨겁게 응원한다. 지금보다 더 당당한 모습으로 책을 쓰며 사람들에게 용기를 주는 멘토가 되기를 희망한다.

25.
이숙현_ 힘을 보태주길

'정말 해도 될까?'

겉으로는 평안하지만 불안하기도 한 무료한 시간을 보내면서 드는 생각이었다.

나에게 주어진 휴식 시간 1년. 쉬어가는 시간이지만 종종 원치 않는 피곤함이 몰려왔다.

"잘 쉬고 와."

나에게 주어진 시간은 주변 사람들에게는 잉여처럼 느껴지는 듯해서 혼란스럽고 인정하고 싶지 않았다.

그때 내 앞에 나타난 '글쓰기'는 언젠가부터 생각하고 있었던 나의 꿈을 실현해 주는 선물이었다. 그렇지만 망설임을 피할 수는 없었다.

감사하게도 고민은 길지 않았다. 부딪쳐서 해보자고 결정했다.

'내게 이런 기회가 오다니!'

이른 기상 시간이 걱정되었지만, 이 때 아니면 아침형 인간 흉내를 언제 내보나 싶었다. 다행히 '공저'라는 형식이 부담을 줄여 주었다. 몇 주간의 새벽 시간 글쓰기는 소소한 변화의 기쁨을 주었다. 지난 시간을 돌아보며 조용히 생각해보고 활자가 되어 마주하게 되는 삶의 순간마다 나를 알아가는 시간들이 되었다.

글을 쓰기 시작하니 그동안 미뤄왔던 책 읽기가 함께 시작되었다.

구입만 하고 미처 다 읽지 못했던 책들이 눈에 들어왔다. 읽는 즐거움을 잊고 살아온 시간들이 꽤나 길어서 그런지 반가웠다. 처음에는 글자가 안 보여서 돋보기안경을 구입했다. 돋보기를 써야 하는 나이가 되었음을 실감했지만 싫지 않았다. '나이 듦'이라는 시간을 책 읽기, 책 쓰기와 함께 한다고 생각하니 행복했다. 책을 읽다가 발견하게 되는 지혜들이 반갑고 소중했다. 새로운 책들과의 만남도 소중했다.

어린 시절부터 나는 빅토르 위고의 소설 《레미제라블》의 장발장처럼 삶을 마치고 싶다고 생각했다. 지난날을 떠올리고 부끄럽지 않은 마음으로 천국의 미리엘 주교님을 만나 웃으면서 세상과 이별하는 모습. 나 또한 마지막 가는 길에 소박함과 행복함을 가져가고 싶다. 그것을 준비하는 가운데 글쓰기가 힘을 보태주길 바라본다.

'왜 글쓰기를 해야 하지?'

두 권의 공저를 출간했다. 하지만 사람들에게 환영받지 못한 느낌이었다.

'너 혼자 쓴 것도 아니고, 공저잖아. 뭘 그리 대단하다고.' 생각하고 있는 듯한 사람들의 시선 때문에 몸과 마음이 한없이 나락으로 떨어졌다. 그리고 글쓰기 행위를 멈추게 했다.

참, 이상도 하지. 아니, 당연하다고 해야 할까? 내 핏속엔 글쓰기가 계속 흐르고 있었나 보다.

'그럼에도 불구하고 나의 글쓰기는 지속될 것이다!' 어느새 다시 용기가 생겼다. 이 기운을 설명할 방법이 없다. 역시, 이정금이다.

결국 나는 개인 저서를 출간하는 작가가 될 것이다.

"멋있다! 이정금! 잘하고 있어!"

좌절하고 멈칫할 때마다 나를 일으켜 세워주는 말이다.

희로애락 나의 삶을 벗 삼아 잘 살아온 덕분에 지금의 내가 있다.

'잘 살아가는 방법, 인생사용설명서'를 책으로 써서 두 딸에게 유산으로 남겨주려 한다.

글을 쓰고 저자가 된 나를 축하한다.

다가올 우리들의 봄을 닮은 인생 공저를 축복한다.

27.
장윤진_ 감사와 용기로 시작하는 봄

"또 뭐라고 써야 할까?"

주변 환경에 이끌려 세 번째 공저에 도전한다.

어린 시절, 방학이 시작되면 제일 하기 싫은 숙제 중 하나가 일기 쓰기였다.

매일 나의 얘기를 적는다는 게 나에게는 노역 같았다.

내가 쓴 일기를 선생님께 매일 검사 받는다는 것이, 나의 모든 마음을 들키는 기분이 들었다. 그래서 감정을 솔직히 써 내려가지 못했다. 그때 기억이 지금까지 이어져 글쓰기는 나에게 두려운 행위가 되어버린 것 같다.

내가 쓴 글을 누군가가 본다는 것,

때로는 누군가에게 평가받는다는 기분이 들 때면 갑자기 얼굴이 확 달아오른다.

하지만, 내가 존경하는 멘토 이정숙 대표님이 안내하는 624독서 모임 멤버들과 사업파트너 사장님들과 함께, 나는 글쓰기를 선택했다.

'잘할 수 있을까?'

"장윤진 사장님, 글쓰기는 자신을 더 많이 사랑할 수 있는 시간입니다. 꼭 함께 도전해봐요."라고 응원해주시는 이정숙 대표님 말씀에 힘입어 글쓰기로 또 나를 만나는 시간을 가져본다.

뭐든지 삼세판이다!

세 번째 글쓰기를 도전하고 나면 네 번째 글쓰기는 지금보다 내 감정에 더 자유로운 나를 만날 수 있으리라 기대하며 용기를 내었다.

평온한 주말, 아메리카노 한잔과 펜을 들고 종이에 내 마음들을 써 내려간다.

용기 내어 나의 진짜 생각을 노트에 옮겨 쓰는, 행동하는 나에게 감사하다.

"글 쓸 수 있는 나의 존재에게 감사해."

2023년, 감사와 용기로 시작하는 봄이다.

'몸과 현장이 만날 때 혁명이 일어난다.'

몸이 기뻐하는 일을 하면 다리가 떨리지 않고 심장이 떨린다.

심장의 떨림은 몸이 끌리는 일을 할 때 나타나는 설렘이다.

나의 생각이 글로 표현될 때

내 심장이 뭉클함을 느끼며 세 번째 공저를

624독서 모임 멤버들과 함께하며

기대와 설렘으로 우리 모두를 응원한다.

28.
류수진_ 점점 즐거워진다

'배경지식도 짧고, 경험도 부족한 내가 글을 잘 쓸 수 있을까?'

글쓰기 앞에서 한없이 작아지는 마음이 들었다.

"책 한번 써 봐요. 잘 쓸 수 있을 것 같아요."

주변에서 권해주던 응원의 말들이 오히려 내게는 큰 부담감이 되어 머리가 굳어졌다. 하지만 묘했다. '글쓰기'라는 단어는 나를 짝사랑하고 있는 사람처럼, 그림자처럼 졸졸 따라다녔다. 그러다가도 내가 글쓰기를 사랑하고 있는 것인가 헷갈리기도 했다.

'드디어 기회가 왔어!'

글을 쓸 수 있는 환경이 되자 난 명확히 알게 되었다. 내가 글쓰기를 원하고 있었다는 것을 말이다. 글쓰기를 시작하게 된 내 모습을 대하며 '꿈이 이루어지는구나.' 감탄하는 내면의 목소리를 듣게 되었다. 소홀하던 독서도 좀 더 열심히 하게 되고, 여러 곳의 강의도 기웃거리며 배움과 경험의 폭을 넓혀 가고 있다. 점점 즐거워진다.

'아무것도 하지 않으면 아무 일도 일어나지 않는다.'

그래서 나도 시작했다. 내 마음을 글쓰기로 소탈하게 털어놓는 것만으로도 스스로에게 공감과 위로가 되었다. 겁 없이 글쓰기를 이어간다. 글과 함께 치유되고, 벗이 되고, 꿈이 이루어지는 지금의 나를 응원한다.

29.
김명희_ 뭐야! 말만 하면 다 되잖아!

"'가산산성의 사계'를 써야겠다."

가산산성 트레킹을 하면서 1년간 말만 했다.

오늘 '624의 봄'이라는 주제로 다섯 권째 책 쓰기를 시작한다.

뭐야! 말만 하면 다 되잖아!

하루 한 권 책을 읽고 100권의 책 흔적을 블로그에 기록하는 100일간
의 미친 사랑.

마지막 남긴 말은 이러했다.

'나는 작가가 되었다.'

예전에는 막연한 말이었는데 《글 꽃피우다》라는 제목으로 첫 책이 출
간된 이후, 내 삶은 출간 릴레이다.

"너는 뭘 해도 잘할 거야."

나의 인연들이 나에게 하는 공통된 말이다.

"네."라는 말은 큰 소리로 답하고

"아니오."라는 말은 침묵으로 답하며

매 순간 나의 노력을 믿으며 옳은 선택을 해 온 결과이다.

20년의 직장생활을 정리하고 선택한 직업은 한 마디로 '금수저'였다.

할 수밖에, 될 수밖에 없도록 삶을 변화시키기 때문이다.

금수저인 내 직업을 통해 다른 사람들의 삶도 변화시켜주는 나!

나의 변화와 성장에 글쓰기가 함께 하니 천군만마를 얻은 것 같다.

말만 하면 다 되는,

삶을 변화시키는,

다른 사람들의 인생도 돕는 김명희는

글 쓰는 사람이다.

30.
신임선_ 잘하고 있어

'글쓰기, 두렵네. 게다가 새벽에 글을 쓴다고?'

공저 모임 안내를 받았을 때 처음으로 든 생각이다.

'네가 무슨 놈의 글쓰기야?'

안방 문을 열고 나를 유심히 바라보던 남편의 눈빛에서 읽게 된 생각이다.

'그래! 글쓰기는 애쓰기라는데, 해 볼 거야! 해낼 거야!'

내 생각은 도전으로 전환되었다.

잘 살아 온 내 인생을 글로 쓴다는데,

글로 나를 마음껏 사랑해 보겠다는데,

누가 뭐라 하겠어?

잘 쓴 글, 못 쓴 글은 없다 했다.

이왕 살아가야 하는 인생,

시간 낭비하지 말고 알차게 글 쓰며 살련다.

시집살이, 남편 돌보고 자식 돌보고 손자 돌본다고

나를 돌보지 못했다.

이젠, 글쓰기와 함께 내 몸과 마음을 돌보며 살 것이다.

신임선, 잘하고 있어.

힘내!

31.

최영혜_ 글로 쓰는 삶

'며칠이 지나면 봄소식이 들려올 텐데 지금은 이불속에 누워있고 싶네.'

매일 새벽 5시에 일어난 지 5년째.

요즘은 아침에 일어나는 것이 부쩍 힘이 든다.

지난 1월에 아버지가 돌아가시고 난 뒤 통 잠을 못 이룬다.

아버지의 부재가 아직도 실감이 나질 않고,

헛헛한 마음이 쉽사리 잡히지 않는다.

그럴 때마다 매일 아침 모닝 페이지를 썼다.

하고 싶은 말은 다 썼다.

마음을 글로 쓰다 보면 한결 가벼워진다.

공저로 출간한 첫 번째 책을 친구가 읽어보더니 이렇게 말했다.

"영혜야. 니 글이 숨을 쉬고 있는 것 같아."

쑥스럽기도 하고 그동안 노력한 것을 인정받는 듯해서 기쁘기도 했다.

처음에는 책을 읽는 것조차 어려웠고 혼란스러운 적도 많았다.

지금은 책 읽는 것이 즐겁고 글 쓰는 시간이 평온하다.

왜냐하면 책을 통해 깨달은 것을 내 삶에 적용하고 다시 책을 읽으니

너무 재미있고 뿌듯하기 때문이다.

"모두가 세상을 변화시키려고 하지만 정작 스스로 변하겠다고 생각하

는 사람은 없다." 톨스토이가 말했다.

나는 어제보다 더 나은 삶을 살기 위해 수많은 도전을 한다.

나부터 해보자!

매일 새벽을 깨우고 책을 읽고 글을 쓰고

나 자신에게 끊임없이 질문하고 이야기한다.

니가 꿈꾸는 삶은 무엇이냐고,

어떤 삶을 살고 싶냐고,

지금 내가 나에게 해주고 싶은 말은 무엇이냐고 말이다.

영혜야, 애썼다.

여기까지 잘 왔다.

내 글은 특별함이 있다.

내가 쓰는 글이 내가 하는 말이 되고

그 말이 내 삶이 되는,

글과 말이 일치하는 삶을 살기로 선택했다.

하루하루가 쌓여 내 삶은 더 진실하고 더 아름다워질 것이다.

그래서 변화를 원하고 오늘보다 더 나은 삶을 꿈꾸는 이들의 삶이 아름다워지도록 그들을 도울 것이다.

내가 선택하는 삶을 사는 나,

나는 오늘도 나의 길을 걷는다.

32.
문상희_ 다짐

'내 글을 누가 봐?'

학창 시절 글쓰기 숙제는 너무너무 싫었다.
한 달 동안 쓰지 않고 미뤄두었던 일기를 하루 만에 몰아서 쓴 적도
있다.
"너, 니가 쓴 글이 앞뒤 말이 맞다고 생각하니?"
선생님 말씀에 글쓰기와 더 멀어졌다.
'내가 쓰는 글은 말이 안 되는구나.'
두려움이 나를 꽉 움켜쥐었다.

난 어른이 되었고 난 또 이곳, 글쓰기 공간에 와 있다.
운명의 장난 같이 말이다.
하지만, 팀원들과 함께이기에 글을 쓰자고 마음먹었다.
지금은 자신 없이 쓴 나의 글이지만,
성장할 수 있는 발판이 되어 내 인생에 가치를 선물해 줄 것이다.

내 마음을 솔직히 표현할 수 있는,
독자가 내 글을 계속 읽고 싶어 할 수 있도록
지금처럼 도전하고 노력하고 성취하는 내가 되어 보리라 다짐한다.
문상희, 할 수 있다!

2 장

이어 봄 : 태아의 엄마에게

엄마는 나의 영광.
엄마가 나의 엄마였다는 것은
내게 타고난 영광이었다.
내게 좋은 점이 있다면
엄마한테서 받은 것이요.
내가 많은 결점을 지닌 것은
엄마를 일찍 잃어버려 그 사랑 속에서
자라나지 못한 때문이다.

• 피천득 •

엄마, 그곳은 어때?

답답하지 않아?

답답하다고 발을 뻥뻥 차고 있구나.

여장부처럼 강한 엄마의 몸짓이 보여.

"여자는 나서면 안 돼."

외할아버지 한마디에 엄마의 인생은 묻어 둔 채

가족을 위해 희생했던 엄마를 생각하면 눈물이 나.

엄마는 여자로 태어났을 때 기분이 어땠어?

외할아버지가 여자는 공부할 필요 없고 시집만 잘 가면 된다고 했을 때

어떤 마음이 들었어?

엄마가 나를 낳고 제일 먼저 한 생각은 뭐야?

여자라서 안 되는 게 많았던 엄마의 인생을

나에게는 물려주지 않겠다던 말이 생각나.

엄마가 얼마나 많은 걸 포기하고 살았는지 알아가면서

내가 더 속상해.

앞으로 남은 엄마의 인생,

이젠 내가 자유를 선물해 줄게.

칠십 평생 살면서 아버지 허락 없이는 하고 싶은 일을 할 수 없었던 엄마,

자식들 위해서 당신의 인생을 포기하고 살아 낸 엄마,

강한 성격의 우리 엄마.

이혼을 얼마나 하고 싶었을까?

그래도 괜찮지?

든든한 지원군 엄마 덕분에

엄마가 끝내 못 한 이혼을 내가 해냈으니까.

지금부터 엄마와 나, 여자로서 즐겨보자.

엄마가 힘차게 세상을 향해 달려 나왔을 때

사람들은 알았나 봐.

이 녀석 큰 인물 되겠네.

이 녀석 장군감이네.

이 녀석 씩씩한데 예쁘기도 하네.

엄마가 내 엄마여서 너무 행복해.

주말 새벽, 하고 싶은 글쓰기도 마음 편히 하고

'이혼'이라는 상처 앞에 당당히 세상을 살아갈 수 있도록

언제나 자신보다 자식을 먼저 생각하는 그 마음 잘 배울게.

그래서 내 아들이 "아빠 없어서 그렇구나."라는 소리 듣지 않게

나도 아들에게 사랑과 지혜를 선물하는 따뜻한 엄마가 될 거야.

어두운 세상,

한 줄기 빛이 되는 사람으로 살고 싶어.

"세상에서 제일 강한 우리 엄마, 고맙고 사랑해."

김나림_ 환경보다 감사와 행복을 선택하는

어머나!

엄마도 이렇게 작고 귀여운 아기였을 때가 있었네.

외할머니 배 속이라 고요하고 편안하지?

엄마가 태어나주어 외할머니는 너무 기뻐하셨을 거야.

그리고 외할머니는 이렇게 말씀하셨겠지?

"아가야, 엄마에게 와 주어 너무 고마워.

축복 가득한 복덩이구나.

배 속에서 건강하게 열 달을 함께해 주어 고마워.

엄마는 너를 너무 사랑한단다.

이뻐. 너무 이뻐, 우리 아기."

엄마,

엄마는 어릴 때 꿈이 뭐였어?

가장 하고 싶었던 게 뭐야?

낯선 환경에서 힘들었지?

얼마나 외할머니에게 안기고 싶었을까?

얼마나 외할머니가 보고 싶었을까?

힘든 세월, 어떻게 견뎠어?

엄마 참, 대단하다.

엄마,

첫 출산할 때 외할머니 생각 많이 났지?

우리 5남매 키우면서 외할머니가 더 보고 싶었겠다.

외할머니 만나면 뭐 하고 싶어?

나도 엄마가 되어보니 엄마라는 존재가 얼마나 위대한지 알겠더라.

결혼하는 날,

임신하고 첫 출산 했을 때,

그저 내 편이 필요할 때,

전화 걸어서 목소리 듣고 싶을 때,

엄마가 있어서

따뜻한 엄마의 손을 잡을 수 있어서

나를 부르는 엄마의 목소리를 들을 수 있어서

엄마를 볼 수 있어서 너무 행복해.

이제는 제가 엄마의 보호자가 될게요.

그 모진 세월을 견디고 자신을 세운 힘, 존경합니다.

엄마의 삶이 너무 힘겨워 보였는데

"일이 있어 너무 감사하고 행복해."라고 말씀하시던 신념,

또 한 번 존경해요.

환경보다 감사와 행복을 선택하는 엄마의 정신과 태도를 이어갈게요.

세상에서 가장 위대한 최덕희 여사님,

사랑합니다.

3.
임윤진_ 내가 본 보석 중에 제일 빛나요

엄마도 아기였다니요!

저도 저렇게 조그마한 때가 있었을까요?

엄마가 웅크리고 누워있어요.

엄지손가락만 쪽쪽 빠는 모습이 보여요.

그 손으로 우리 5남매를 다 키우셨어요.

아, 기분이 묘해요.

엄마가 원하는 행복한 삶은 어떤 삶이었을까?

우리 5남매의 듬직한 엄마?

한 여성으로서 희망 가득한 삶?

자랑스러운 자식의 삶?

존경받을만한 멋진 커리어 우먼?

아직 내 정체성도 알지 못하는데

엄마로서의 삶만 추구하며 얘기한 것 같아서 너무 죄송해요.

세상에 나오게 되면 나의 존재가치를 찾으려 하지 말고

있는 그대로의 '나'를 찾아갔으면 해요.

매력적이고 아름다운 여성으로 말이에요.

엄마는 내가 본 보석 중에 제일 빛나요.

그 반짝임을 갈고 닦으며 광을 내 보아요!

"너무 예쁘다."

"참 곱다."

"존재 자체가 매력적이야."

"어서 와. 세상이 널 반겨주고 있어."

엄마의 탄생을 사람들이 기뻐해요.

축하해요, 엄마!

엄마의 삶과 사랑으로 많은 이들을 살렸어요!

저에게 알려주신 사랑으로 저도 따뜻한 사람이 될게요. 그렇게 살아갈

게요.

엄마를 생각함이 기쁨이 될 수 있는 인생을 선물해 주셔서,

항상 활기찬 에너지 주셔서,

저의 엄마가 되어 주셔서 감사해요.

엄마, 많이 많이 사랑해요!

살면서 한 번도 생각해보지 못했습니다.
우리 엄마도 태아였던 때가 있었다는 생각에 헛웃음이 납니다.

태아는 엄마가 보는 것을 보고
엄마가 듣는 것을 듣는다고 하지요.
산모를 본 옛사람들은
"무엇이든 좋은 것만 생각하고 예쁜 것만 먹어라." 했습니다.

우리 엄마의 성격이 밝고
외모가 예쁘장한 것은
그저 해를 보고 빌고 달을 보고 빌며
예쁜 것만 찾아드신 외할머니 덕분이겠지요.

태아였던 엄마는 아셨을까요?
이렇게 예쁜 사람이 되실 것을 말이에요.

어느 해 여름,
모시 삼베옷을 입은 엄마의 모습을 본 옥숙이가
"인형같이 이쁘시다."라고 했어요.

태아인 나의 어머니, 감사합니다.
저를 낳아주셔서 감사합니다.

태아인 나의 어머니, 감사합니다.
저를 강하게 키워주셔서 감사합니다.

태아인 나의 어머니, 감사합니다.
은하, 은영이를 태어나게 해 주셔서
참 감사합니다.

5.
손지주_ 이런 말을 해주고 싶어

엄마, 배 속에서는 무슨 소리가 들려?

외할머니의 심장 소리? 사람들의 말소리?

엄마는 한참을 웅크린 채 잠을 자고 있어.

그곳, 참 따뜻하지?

아무 걱정 없는 행복한 표정을 보니 다행이라 생각해.

엄마는 생각이 많아 머리가 자주 아팠었잖아.

엄마는 꿈이 뭐였어?

뭐하면서 놀았어?

몇 살 때부터 엄마의 삶이 기억나?

살면서 가장 행복한 기억은 뭐였어?

그 행복을 간직하면서 살고 있어?

태아인 엄마에게 내 마음을 전달할 방법이 있다면 이런 말을 해주고 싶어.

세상 밖으로 나오면 참지 말고 목젖 보이게 실컷 울라고 말이야.

누구보다 크게 울면서 엄마의 존재를 알려줘.

하고 싶은 것도 다 하면서 살았으면 좋겠어.

기쁘면 웃고 슬프면 울어도 돼.

참으면 병 되고 속만 썩어가잖아.

내가 진작 말해줬어야 하는 건데 어린 난 잘 몰랐어.

엄마가 세상 밖으로 나오는 순간

모든 사람이 잘 와주었다고 말해줄 거야.

울어도 이쁘다고 말해줄 거야.

그러니 겁먹지 말고 잘 나와 줘.

이제 갓 태어나 외할머니 품에 안겨 울고 있는 엄마를 보고 있어.

바로 옆에서 나도 같이 바라보고 있는 느낌이야.

행복한 탄생의 순간을 함께 해서 기뻐.

마치 시간여행을 하는 기분이 들어.

마지막으로 전하고 싶은 말 하고 갈게.

태어나줘서 고마워.

엄마는 늘 소중한 존재야.

6

김은정_ 사랑은 그렇게 흐르는 것

엄마, 우리 엄마.

우와! 우리 엄마가 외할머니 배 속에서 웅크리고 있는 태아라니!

너무너무 작고 예쁘네요.

사랑스러워요.

무엇이든 될 수 있는 아기야!

아늑하고 포근한 양수 안에서 행복 가득한 날들을 보내고 있구나.

세상 밖으로 나가면 어떤 일들이 펼쳐질지, 어떤 인생이 기다릴지,

상상도 하고 꿈도 꾸면서 지내렴.

하루빨리 나가고 싶어서 안달이 났을지도 모르겠구나.

사랑스러운, 세상 하나뿐인 아기야!

22년 후 나의 엄마가 되어도 좋고,

또 다른 인생을 멋지게 살아가도 나는 좋아.

네가 행복할 수만 있다면 말이야.

너를 위해 기도하고 축복할게.

사랑해 아기야.

엄마가 태아라고 하니

어느 동화 작가의 내용이 문득 생각났어.

우리 엄마는 무용수가 되거나, 우주비행사도 될 수 있었고,

어쩌면 영화배우나 사장이 될 수도 있었지만

우리 엄마가 되었다고.

지금까지 살아오면서 힘들었던 적도 많았을 텐데,

끝까지 버티고 인내하며

잘 살아와 줘서 너무 고맙고 감사해요.

엄마에게 지금 당장 물어보고 싶은 질문이 한 가지 있어.

나를 낳고 어떤 기분이 들었을까?

그 마음이 너무너무 궁금해.

22살 너무나 어리고 예쁜 나이에 한 아이의 엄마가 되어버린 기분 말
이야.

엄마를 엄마로 만들어버린 나란 존재가 엄마에겐 어떤 의미였을지 새
삼 궁금해져.

힘든 결혼 생활에 그래도 기쁨의 존재가 되었을까?

적어도 내가 태어난 그 순간만큼은

세상 가장 행복한 사람이었을 거라고, 그렇게 믿고 싶어요.

외할머니가 엄마로 인해 행복했고

나로 인해 엄마가 행복했고

내 아이로 인해 내가 행복한 것처럼,

날 위해 기도하고 애써주는 엄마의 마음을

나는 내 아이에게 보이겠지?

사랑은 그렇게 흐르는 것이라고 믿어.

언젠가 우리 대규, 은규가 멋진 아빠가 되어

자신들의 아이들을 사랑으로 잘 키워가는 모습,

꼭 함께 지켜봐요,

그때까지 늘 건강하고,

또 건강하세요.

7.

윤경희_ 내 영혼을 성숙시켜 준 존재

엄마, 외할머니 배 속에서 잘 있지?

따스하고 포근하지?

사랑이 듬뿍 느껴지지?

보드라운 엄지손가락을 입에 물고 있네.

엄마는 이 세상에 나와

나의 엄마가 되어 주었고 나를 지켜 주었어.

어여쁜 시골 소녀였던 그 시절엔

하루 종일 무엇을 하며 시간을 보냈어?

산과 들을 벗 삼아 신나게 놀았겠지?

무얼 제일 좋아했어?

꿈은 뭐였을까?

이 순간 엄마에게 하고 싶은 말이 있어.

엄마는 내 인생의 등대이자 벗이야.

풍랑 같은 세월, 사랑과 헌신으로 삶을 지켜내고

한결같은 마음으로 내 영혼을 성숙시켜 준 존재!

우리 엄마를 진심으로 존경해요.

엄마가 태어났을 때 사람들은 말할 거야.

"어쩜 이리도 예쁠까!"

"이 초롱초롱한 눈빛 좀 봐."

"예뻐서 눈을 떼질 못하겠어."

엄마,

사람들이 엄마가 태어나길 간절히 기다리고 있어.

엄마의 존재는 많은 사람에게 기쁨이 되어줄 거야.

그리고

내 삶을 감사함으로 가득 채워주고

작고 소중한 행복이 무엇인지 가르쳐 주는

내 인생 최고의 빛이 되어줄 거야.

엄마,

진심으로 고마워요.

진심으로 사랑해요.

엄마!

이름만 불러도 가슴이 뭉클해지네.

엄마는 외할머니 배 속에서 무슨 생각을 하고 있을까?

깜깜한 그곳이 답답하진 않은지 아니면

바깥세상이 궁금해 빨리 나오려고 애를 쓴 건 아닌지 궁금해.

엄마,

외할머니와 외할아버지 사랑 듬뿍 받고 배 속에서 건강하게 자랄 거

지?

소중한 엄마의 모습이 무척 기대가 되네.

엄마의 노력도 할머니의 노력도 너무 소중해.

엄마, 할머니 배 속에서 힘들지?

할머니가 잠시도 쉬지 않고 움직이시니 엄마가 따라다니기 바쁘겠다.

부지런하신 할머니를 쉬게 할 방법이 뭘까?

엄마가 할머니 배를 발로 뻥뻥 차서 쉬라고 신호를 좀 보내줘.

엄마!

살면서 어떨 때가 가장 좋았어?

엄마는 자식들 6명이 모두 모였을 때가 가장 좋았지. 그치?

밥을 안 먹어도 배가 하나도 고프지 않다고 하고

자식들 온다고 아픈 허리 부여잡고 뭐든지 해먹이려고

고디국, 추어탕, 식혜, 반찬 등을 많이 만들어서

먹고 남는 건 모두 싸가지고 가라고 하잖아.

나도 엄마 닮아서 손이 엄청 커.

음식을 많이 한다고 강서방이 제발 조금씩 하라네.

나도 엄마처럼 나누는 게 좋더라.

엄마,

엄마는 모진 세월을 어찌 견디며 살았어?

아버지는 노름과 술, 외도로 집을 자주 비웠지.

그 모든 걸 참아내며 혼자서 자식들 키우느라 버틴 세월이

너무 감사하고 자랑스러워.

내가 결혼하고 자식들 키워보니 엄마의 위대함을 한 번 더 느꼈어.

이제는 모두 잊고 건강 챙기면서 행복하게 살자.

엄마는 누구보다도 행복할 권리가 있어.

이목구비가 뚜렷하게 생긴 이쁜 공주님.

공주님은 천사가 따로 없군요.

너의 웃는 모습을 보는 모든 이들에게 행복을 주는

그런 아이로 자라렴.

하고 싶은 건 마음껏 할 수 있고

나눌 수 있는 아이로 꿈을 꿀 수 있는 아이로 자라주길 바랄게.

세상에 태어난 걸 환영해! 사랑해!

엄마가 세상에 태어나게 되면 사람들에게 듣게 될 말이야.

어때?

빨리 태어나고 싶지?

엄마!

엄마가 태어나 줘서 너무 고마워.

엄마의 강인함과 유연함으로

집안의 버팀목이 되어줘서 고마워.

엄마가 아니었음, 우린 어떻게 되었을까?

엄마가 잘 버텨주고 우리를 잘 키워줘서 감사해요.

난 나이를 먹으면 엄마처럼 살고 싶어.

엄마의 생각과 행동들이 늘 나를 씩씩하고 용기 있고 강인하게 해줘.

엄마, 앞으로 내가 더 잘할게.

지금도 충분하다고 그만큼 하는 딸이 없다고

늘 고맙고 사랑한다는 말을 해줘서 고마워.

엄마와 함께 행복 노트를 만들어 보자.

행복한 상상이 행복으로 가는 지름길이잖아.

엄마, 사랑해!

늘, 매 순간 사랑할 거야.

늘, 매 순간 존경할 거야.

이숙현_ 이것은 엄마의 이야기이자 나의 이야기이고 나의 딸 이야기다

　신비한 일이다.

　수많은 생명이 나고 지지만 생명이 잉태되는 이 순간은 경이롭다.

　이 경이로운 일 가운데 하나, 엄마가 있었구나.

　이것은 엄마의 이야기이자 나의 이야기이고 나의 딸 이야기이다.

　나사에서 쏘아 올린 우주를 촬영하는 제임스 웹의 고해상도 사진을 본 순간 아름답고 경이롭다는 이야기로는 다 담을 수 없는 벅차오름을 느꼈다.

　이렇게 가늠조차 되지 않는 수많은 별이 존재하는 우주에서 두 사람이 만나서 또 다른 생명이 되는 일은 눈물이 나도록 감동적인 일이다.

　엄마의 어린 시절은 이야기로만 듣고 짐작해 보지만 엄마를 임신하고 외할머니와 외할아버지께서는 생명의 탄생을 준비하면서 기뻐하시기보다 먹고사는 일에 급급하셨을 것이다.

　그래도 배 속의 아기에게 느낌이 있었다면 자궁 속 온기와 장기의 소음들로 평화로운 상태였을 것이다.

　배 속의 아기에게 엄마의 감정이 전달되었다면 과연 외할머니께서는 어떤 마음이셨을까?

　견뎌내야 하는 삶 때문에 행복함보다는 지치고 힘든 마음이 많으셨지 싶다.

　그래도 배 속의 아기는 안전하고 보호받는 이 순간에 세상으로 나올 준비를 차근차근 하고 있었을 것이다. 살아내기 위한 준비.

　한 번도 궁금하지 않았다. 엄마의 어린 시절 이야기는.

　외할아버지의 화투와 술주정, 부잣집에 시집간 고모들의 멸시를 당하기도 하며 괴로운 시절이었다고 하셨다.

　고모 집에서 버려지는 바나나를 보면서 먹고 싶어 했다는 엄마의 이야기.

　외할머니에게 함부로 하는 고모들을 보면서 반드시 잘 살아서 외할머니를 함부로 대하지 못하게 하겠단 다짐을 하셨다는 이야기를 하던 엄마의 모습이 떠오른다.

　언젠가 엄마에게 "엄마는 언제 즐거웠어?" 묻는 나의 말에 "난 즐거운 적이 없었어."라고 대답하던 엄마를 보며 말문이 막혔던 기억이 난다.

　엄마의 어린 시절, 가족의 불화나 생활고는 감히 미루어 짐작하기 힘든 일이지만 그래도 어느 순간순간은 깔깔거리고 소리치며 즐겁게 놀았던 엄마의 모습이 있었을 거라 확신한다.

　외할머니 배 속에 있던 작은 생명의 존재, 엄마에게 꼭 해주고 싶은 말이 있다.

　엄마가 살아낼 세상은 아름답지도 근사하지도 않을 수 있지만 엄마가 없었다면 존재하지 못했을 나의 삶, 감사하다고.

　엄마가 태어나는 순간에 모두들 축복하고 행복했으면 하고 바라본다.

　누구든 존재만으로 가치가 있다는 당연한 명제가 엄마에게도 일어나기를 바란다.

미처 몰랐던 이야기 : 출생의 순간

89

인생은 악으로 독기로 살아가야 한다는 믿음보다 고통도 슬픔도 나누는 사람들이 있다는 사실을 외면하지 않기를 기도한다.

내가 느끼는 감사함과 소중함이 엄마에게 나눠질 수 있기를 간절하게 바란다.

'엄마 배 속에 한 살, 두 살, 세 살…….'

딸아이가 가끔씩 하는 놀이가 있다.

나이에 맞추어 상대방의 손이 움직이는 방향과 다르게 고개를 움직여야 한다. 상대방 손과 같은 방향으로 고개를 움직이면 그 나이가 되면서 게임이 끝난다. 우리가 태어나고 나이 드는 인생이 아이들의 맑은 목소리와 함께 놀이가 되다니. 곰곰이 생각해 보니 그 놀이에서 나이가 쉽게 들 수 없는 이유는, 우리가 나이를 먹더라도 어른이 되는 일은 쉽지 않기 때문인 듯하다.

딸아이를 키우면서 어린 시절의 나를 마주하는 순간들이 생긴다. 경험해 보지 않으면 알 수 없는 일들이 많지만 어떤 책이나 영화로도 알 수 없는 것이 육아이고 엄마의 마음이라고 생각한다.

내가 태어나고 우리 엄마는 기뻤을까?

내가 크면서 엄마와 나는 사랑을 키워갔을까?

나와 동생이 싸우면 왜 항상 내가 더 혼나고 많이 맞아야만 했을까?

엄마에게 늘 사랑이 부족하다고 느끼며 어쩌면 나는 엄마의 친딸이 아니라고 생각한 적도 있었다.

내가 엄마가 되어보니 아이를 만나던 그 순간은 우주에서 가장 감동적인 순간이었고 아기가 나에게 보여주는 모든 몸짓과 소리는 천사를 만나는 기분이었다. 아이는 유치원에서 또래보다 큰 아이에게 어이없는 구박을 받기도 했고 학교에 가서는 크고 작은 소동들로 힘겨워하기도 했다.

해 줄 수 있는 것이 많지 않아 마음이 아팠다. 건강하게만 자라달라는 소박한 소망이 아이가 커가면서 '이걸 왜 못하지?', '이렇게 하는데도 왜 안 하는 거지?' 답답한 불평들로 잊혀 갔다.

엄마에게 칭찬받지 못하고 소중하게 여겨지지 않았던 나의 마음들이 어느새 내 아이에게 옮겨가고 있는 것은 아닌지, 자꾸 마주치는 나의 어린 시절이 아이에게 독이 되고 있지는 않은 것인지 돌아본다.

아이를 키우는 일은 아이와 함께 자라는 일이다.

엄마에게는 이제 내가 받는 것보다 내가 해드리고 싶은 게 더 많다.

언젠가 엄마가 주름 가득한 얼굴로 웃는 날이 있다면 아기처럼 엄마를 바라보고 있을 것 같다.

그러면 나는 활짝 웃으며 말할 것이다.

내 엄마로 태어나줘서 감사하다고 내 엄마로 살아줘서 고맙다고.

엄마도 아기였구나.

눈 두 개, 귀 두 개, 손 두 개, 다리 두 개, 머리 한 개인 예쁜 아기 말이야. 아기 상어가 춤추는 장면이 떠올라.

엄마가 춤추듯 할머니 배 속을 지키고 있어.

신기하다.

아기 때에도 요렇게 귀엽고, 사랑스러웠구나.

할머니 배를 씩씩하게 발로 뻥뻥 차기도 했어?

엄마가 아기였을 때, 활발하게 움직이는 것을 상상할 수가 없어.

맞아. 할머니는 여장부였잖아.

동네에서 인심 좋은 사람으로 두 번째라면 서러운 여자 어른이셨지.

아마도 엄마는 할머니를 닮아서 잠시도 가만히 있지 않고 신나게 움직였을 거야.

근데 나는 왜 점잖은 거지? 무슨 일이 있었던 걸까?

엄마,

무럭무럭 자라서 세상 밖으로 나와.

세상은 재미있고 흥미로운 게 많아.

지금 무슨 꿈을 꾸고 있어?

꿈을 꾸고 잠을 자는 엄마를 본 적이 없어.

항상 부지런히, 열심히 살아오면서 자식 걱정에 잔소리하는 엄마만 나의 엄마인 줄 알았네.

세상 밖으로 나와서 제일 먼저 하고 싶은 건 뭘까?

여행 가는 거 좋아하고, 드라이브하는 거 좋아하고, 예쁜 카페에서 커피 마시는 거 좋아하는 엄마를 알고 있는데, 외할머니 배 속에 있는 엄마는 뭘 하고 싶어 했을까? 꿈은 뭐였지?

첫째 딸이라 부모님들의 기대와 사랑을 듬뿍 받고 자랐을 엄마를 생각하니 '그게 바로 나구나.' 하는 생각이 들어.

엄마를 잉태했던 외할머니는 어떤 생각과 어떤 느낌이었을까?

엄마는 날 배 속에 가졌을 때, 어떤 생각과 느낌이었어?

어떻게 키우고 싶었을까?

행복했어?

불안하거나 두렵지는 않았어?

지금 이렇게 물어 볼 수 있어서, 대답을 들을 수 있어서, 아직은 엄마가 내 옆에 있어서 얼마나 다행인지 몰라. 엄마는 외할머니가 사고로 일찍 돌아가셔서 보고 싶다고 했잖아. "너는 좋겠다. 내가 있으니 말이다. 있을 때 잘해." 했지.

외할머니의 딸인 우리 엄마!

착하디착한 귀한 아기가 태어나 세월이 흐른 뒤 나와 동생들을 낳아주었어. 지금 우리가 여기에 있어.

감사해요. 엄마의 지나간 삶이 지금의 우리를 있게 했어요.

이제 걱정 말아요.

바라는 대로 원하는 대로 잘 살게요.

세상은 넓고 깊고 엄마와 우리가 살기에 아름다운 곳이잖아.

지금의 엄마를 보면 지난 날 아버지로 인해 인생이 바뀐 엄마를 존경하고 사랑해. 엄마는 인내와 책임과 사랑이 많은 분이고, 나도 그런 엄마를 닮아서 지금의 나를 사랑할 수 있는 거야. 가족들과 나의 인생을 위해 헌신하고 책임감으로 살아가는 거 같아.

엄마, 태어나줘서 고마워요. 늘 고마워할 거야.

엄마로부터 세상을 바라보게 되어서 행복해.

엄마의 삶이 나의 삶으로 이어지고,

나의 삶이 효은이에게 이어지겠다는 생각이 들었어.

'오늘 나는 어떤 모습으로 탄생할까?'라는 질문을 받고 내 의지대로, 내 생각대로 살아가는 주체적인 내 삶을 진정 사랑하는 내 운명의 지배자, 내 영혼의 선장으로 살 것을 기록으로 남겨 두려 해.

엄마도 엄마의 삶을 사랑하는 영혼의 선장이 될 거지?

내가 옆에서 도울게.

엄마는 소중한 사람이니까.

11.
이정안_ 기분이 어땠나요

엄마,

따뜻한 외할머니 품속에서 잘 있는 거지요?

외할머니 생각이 문득 나요.

맛있는 음식도 많이 해주시고

이쁘다고 머리도 쓰다듬어 주셨지.

엄마와 분위기가 닮은 외삼촌도 생각이 나네.

엄마도 외할머니가 많이 보고 싶지?

우리 곁에 엄마가 건강하게 살아계셔 주셔서

참 감사해.

엄마의 귀엽고 보드라운 손.

엄마의 손가락 오 형제를 닮은 우리 5남매.

제일 이쁜 손.

제일 부드러운 손.

우리 집 자랑거리는 5남매이지.

엄마의 첫째 손가락을 닮은

얌전하고 핼쑥한 아이인 내가 태어났을 때 기분이 어땠어?

"든든하고 착하다." 말씀해 주셨지.

참 고마웠어요!

선생님 생활, 교장선생님 생활,
엄마 덕분에 참 잘했어요.

천 명이나 되는 큰 학교에서
행복 바이러스가 나오는 맨발 걷기를 해서
칭찬받았어요.
천 명의 귀여운 아이들이 말해 주었어요.
"교장 선생님, 맨발 걷기를 우리들에게 선물로 주셔서 매일 행복해요!"
행복한 선생님으로 40년을 잘 마무리할 수 있어서 감사했어요.
이 모든 것이 엄마가 40년의 교직을 잘 마친 지금까지
우리들 곁에 계셔 주셨기 때문입니다.
덕분이에요.
사랑합니다.

엄마의 둘째 손가락을 닮은 남동생이 태어났을 때 기분은 어땠나요?
잘 생기고 착하고
손재주가 유난히 많은 남동생이었지.
코로나19 이후 잠시 직장생활을 그만두고
엄마와 같이 생활해 보려고 하는 남동생이 대견했지!
수십 년을 떨어져 살다가 같이 사니 불편한 점도 있었겠지만
엄마의 버팀목이 되어 주는 효자 아들이야.

엄마 셋째 손가락을 닮은 자녀.

엄마와 사랑에 빠진 사람처럼 귀여운 여동생이 태어났을 때는

기분이 어땠나요?

엄마뿐 아니라 언니인 나도 잘 챙겨주는 가장 멋진 딸이야.

하루에 한 번 이상 안부 전화도 잘했고 부모님을 향한 사랑이 많았으니

우리 집 보물이라고 할까!

그러니까 엄마는 기뻤겠지?

이쁘고 착하고 멋진 여동생.

엄마가 자랑하기 전에 사람들이 칭찬을 해주었었지!

넷째 손가락을 닮은 남동생이 태어났을 때 엄마는 어땠나요?

남동생을 업고 나가면 동네 사람들은 잘생긴 아기라고 칭찬해 주었어요.

육군사관학교를 나와 지금은 대한민국의 자랑스러운 대장이 되었지요.

아버지가 가장 자랑스러워한 동생.

동생이 국군의 대장이 되는 모습을 지켜 봐주셔서

참 감사드립니다.

다섯째 귀염둥이 막내 여동생이 태어났을 때는 어땠나요?

두 언니와 두 오빠의 사랑, 부모님의 사랑을 듬뿍 받고 자란 막내는

예쁘게 무럭무럭 자라 서울교대를 나와서 초등학교 교사 생활을 10년

했지.

문득 초등학교 선생님이 적성에 맞지 않는다고 동시통역사가 되겠다며

911테러가 있던 해, 미국으로 유학을 떠난 동생.

미국 석, 박사과정을 성적 장학생으로 졸업하고

제일 멋진 목사님과 결혼했지.

하나님 일을 하는 훌륭한 사람이니

기도와 응원 많이 부탁드려요.

'기분이 어땠나요?'

엄마한테 다섯 번이나 똑같은 질문을 했네.

5남매가 태어날 때마다 세상에서 제일 기뻤다고 대답하실 거 같아요.

엄마,

우리 엄마!

몇 년 전 큰 교통사고가 났을 때

5남매가 오기 힘든 상황이라 혼자 판단하시고

"자식이 없습니다."라고 하신 말씀은 평생 못 잊을 거예요.

우리 5남매가 미안해요.

정말 미안해요.

그 예쁘고 보드라운 손이 지금은 거친 나무토막 같지만,

엄마의 그 손은 가장 아름다운 손입니다.

그래서

더

사랑합니다.

그래서

더

감사합니다.

오래오래 행복하셔야 합니다.

엄마,

우리 엄마.

엄마,

우리 엄마.

"자리가 왜 이리 좁지?

안녕! 나는 너의 엄마야. 둘이라서 헷갈리진 않니?"

외할머니 배 속에 있는 엄마가 시간을 거슬러

나에게 말을 걸어오는 듯하다.

엄마는 쌍둥이다.

활발한 이모의 손길, 조용한 엄마의 발길.

나는 누가 내 엄마인지 금방 알 것 같다.

엄마, 엄마는 어떨 때 행복했어?

갖고 싶은 거, 하고 싶은 건 뭐야?

뭘 좋아해?

깜깜한 외할머니 배 속에서 무섭진 않았어?

어떨 때 제일 힘들었어?

이모랑 사이좋게 잘 지낸 거지?

엄마가 지금은 태아지만

세월이 흘러 우리를 꼭 만날 거잖아.

그날을 손꼽아 기다리고 있을게.

내 엄마가 되어줘서 고마워.

그리고 사랑해.

앞으로 펼쳐질 엄마의 모든 삶을 응원해.

엄마가 세상에 나오면
사람들은 이렇게 말해 줄 거야.
"왜 이렇게 늦게 왔어? 기다리고 있었어."
"참 잘 왔어."
"소중하고 사랑스러운 아기구나."

엄마가 외할머니 품속에서
나오는 모습을 상상해 보고 있어.
새끼손가락으로 엄마의 얼굴을 만지며
"아, 진짜 작다."라고 말하는 중이야.
드디어 우리 엄마가 이 세상에 나왔네!

꼬옥 안아주며 말할래.
"태어나줘서 고마워, 엄마."

13.
황원영_ 우리 지켜봐줘

엄마의 심장 소리를 들으니까,

너무 두근거려.

엄마도 작은 아기였을 때가 있었구나!

귀엽고 자그마한 태아의 엄마 모습을 보고 있어.

배 속에서 언니, 오빠 목소리 들으면서 잘 자라고 있는 거지?

외할머니, 외할아버지, 언니, 오빠를 만날 생각에 너무 기쁜지

헤엄치고 잘 놀고 있네.

엄마, 태안 바닷가가 그렇게 좋아?

엄마가 했던 말이 기억나.

"그럼! 엄마가 태어나고 놀고 학교 다녔던 곳이잖아.

바닷가에서 헤엄치고 놀고 조개 캐서 이모들이랑 삶아 먹고.

엄마는 너무 행복해."

엄마는 게장과 조개젓을 맛있게 드셨지.

어린아이처럼 좋아하시던 엄마 모습이 난 아직도 떠올라.

38살에 홀로 되어서 우리 4남매를 엄마 혼자서 키우게 될지 몰랐을

거야.

얼마나 힘들고 두려웠을까?

난 엄두도 못 낼 일이야.

우리 엄마 정말 대단해!

엄마는 나한테 늘 든든하다고 얘기했지만 난 너무 못된 딸이었어.

엄마,

너무 고맙고 미안하고

정말 정말 사랑해.

"너무 이쁘다."

"너무 희고 고운 피부를 가진 동생이야."

"빨리 커서 나랑 놀자."

"사랑스런 내 동생."

엄마가 태어났을 때

엄마의 언니, 오빠들이 한 말이야.

너무 이쁜 우리 엄마!

여리고 가냘픈 우리 엄마!

건강하게 태어나줘서 고맙고

우리 4남매 버리지 않고 잘 키워줘서 진짜 고마워.

엄마가 알려주고 믿어줬던 만큼

나도 우리 아이들한테 엄마처럼 해 볼게.

진짜 한 번만 만나고 싶고 안아보고 싶다.

엄마, 너무 사랑해.

진짜 사랑해.

하늘에서 엄마랑 아빠랑 우리 지켜봐 줘.

"엄마. 외할머니 배 속에서 뭐 하고 놀았어요? 두렵고 불안하지는 않았나요?"

작고 귀여운 몸, 손과 발을 가졌던 엄마였는데 우리 7남매 키우시느라 꼬부랑 허리가 되고 거친 손발이 되었던 것을 생각하니 눈물이 납니다.

함께 모여 글을 쓰는 새벽의 줌 공간, 우리 모두는 울었습니다. 한 줄도 못 쓰고 울고 있는 친구도 있었지요. 한 아이가 울면 덩달아 다른 아이도 울듯이 우리 모두 그러했어요. 글쓰기 수업 끝나면 울고 있던 친구에게 전화하리라 맘도 먹었어요.

엄마는 언제 가장 행복하고 기뻤어요?

어릴 때 나는 엄마가 웃으실 때 가장 기뻤어요. 예쁘게 화장하실 때도 기뻤고요.

엄마가 된 저도 많이 웃으려고 해요. 특히 며느리, 사위 생각하면 괜스레 미소가 지어집니다.

또 생각이 납니다.

아버지와 어머니께서 마주 보며 도란도란 이야기 나누시던 모습을 볼 때 기뻤고 행복했어요. 엄마가 옛날 이야기 해 주실 때도 상상의 나라에서 기뻤답니다.

엄마에게 궁금한 것을 질문하는데 아들, 딸 생각을 하게 됩니다.

대를 이어 후손에게 물려주고 싶은 것들도 생각하게 되고요.

엄마가 제일 가지고 싶은 것은 무엇이었어요?

사람들에게 듣고 싶은 말은요?

엉엉 울고 싶었을 때는 언제였나요?

무슨 색을 좋아했나요?

가장 맛있게 먹어본 음식은요?

가고 싶은 곳은 어디였어요?

엄마가 답을 하지 않으셔서 76살인 큰언니에게 지금 전화해서 질문해 보았습니다.

아이 키울 때, 아이 결혼시킬 때 행복했고 기뻤다는 이야기를 얼마나 신나게 하던지요.

76세의 큰언니는 지금이 또 가장 행복하다고 했습니다.

낮에는 유치원 아이들에게 동화책 읽어주는 교사로 일하고 있어요.

저녁에는 중학생이 되어 학생으로 살고 있어요.

76세에 중학생이 된 언니는 요즈음 가장 행복한 일이 많다고 합니다.

"너거 언니 이만하면 이쁘제? 나는 내가 이쁘다고 생각한다. 아픈데도 없이 건강하니 막내아들이 와서 뽀뽀도 해주고 그러네. 하하하."

큰언니의 말에 놀랐어요. 좋은 느낌이었어요.

다시금 시간을 돌려서 태아인 엄마에게 해 주고 싶은 말이 있어요.

"태아이신 엄마의 잉태가 후손들이 있게 한 시작이었음을 알아차립니다."

어떤 척박한 곳에서도 싹을 틔우고 뻗어 가는 바랭이처럼

엄마는 억척으로 사셨지요.

엄마가 오심으로 우리 7남매는 커다란 우주가 만들어졌음을 압니다.

어머니 당신은 크셨고 처음이시고 우리들의 커다란 우주였습니다.

사랑합니다.

고맙습니다.

우리들을 키워주시고 결혼시키는 그 소임을 다해주셨습니다.

엄마가 태어나시던 1939년 1월 24일 그날이 있어

우리들도 있었습니다.

우리의 처음이자 우주이신 엄마,

오늘도 엄마를 그리워하는 마음을 글로 남겨 봅니다.

김경아_ 기다리고 있을게요

하하하하하하하!

너무 웃긴다.

호랑이처럼 무서웠던 우리 엄마도 태아였다.

아무리 으르릉거려도 야르릉 야르릉 고양이 소리가 났겠지?

생각만 해도 무서운 우리 엄마가 귀여워져 버렸다.

날이면 날마다 위험한 놀이만 즐겨하던 나는

평균 3번 이상은 혼이 나야 하루가 지나갈 정도였다.

화를 내실 줄 알면서도 담에서 몰래 뛰어내리고 싶었고

철봉 위를 걸어 다니고 싶었다.

그때마다 엄마는 '으르릉' 하셨다.

엄마의 그림자만 봐도 무섭고 두려워 꼼짝 못 했을 그때

태아인 엄마의 귀여운 모습을 볼 줄 알았더라면

너무 이뻐서 더 빨리 사랑했을 텐데,

더 부드럽게 속삭여 드렸을 텐데.

지금도 여전히 이빨이 시퍼런 건강한 우리 엄마.

외할머니의 배 속에서는

세상 빛이 무엇인지 궁금했지요.

배 속보다는 밝고 흥미진진한 일이 많습니다.

심장을 완성한 것에 기뻐서 "야르릉."
손을 만든 것에 감격하며 "야르릉."
세상 여리고 귀여운 아기호랑이 우리 엄마는 아마
또 다른 세상으로 머리를 들이밀 때조차
에너지가 대단했겠는걸요!

어둡고 고요한 배 속에서 1946년 세상 안으로 입장하실
엄마의 우렁찬 포효를 응원하며 박수를 보냅니다.

엄마, 거긴 어때?

어둡고 축축한데 지내기 괜찮아?

바깥에서 들려오는 알 수 없는 소리들과 세상 다정한 외할머니의 목
소리가 들리겠지. 두렵지 않아?

열 달이 지나면 세상 밖으로 나와서 외할머니와 외할아버지를 만나게
될 거야.

태어날 때까지 좋은 것만 듣고 좋은 것만 생각하고

잘 먹고 잘 자고 무럭무럭 성장하면서 기다려 줘.

작디작은 태아의 모습으로 외할머니의 배 속에 있는 엄마를 생각하니

기분이 이상해.

손도 발도 눈도 코도 입도 다 만들어졌을까?

꿈틀거리는 작은 발로 외할머니 배를 뻥뻥 차며

세상에 빨리 나오고 싶어 했을 것 같아.

엄마, 엄마는 언제가 가장 행복했어?

평생을 다섯 자녀를 위해 희생하며 살았던 엄마.

요양원에 누워있어도 눈만 뜨면 다섯 자녀를 위해 기도해주시는 엄마.

나는 배운 게 없어서 하고 싶은 것을 못 하고 살았으니

너희들은 대학 나와서 하고 싶은 것 하면서 잘 살라고 하며

힘든 가정형편에도 모두 대학 공부를 시키셨던 엄마.

엄마의 그 희생과 사랑 덕분에 우린 잘 살아가고 있어.

다섯 자녀가 별 탈 없이 결혼해서 잘 사는 모습을 보면서

엄마는 가장 행복해하셨던 것 같아.

사실 자녀들보다 중요한 건 엄마 자신의 행복인데 말이야.

엄마의 이름 석 자 '양양순'으로 살아봐야 하는데

엄마가 가족들을 위해 희생만 하고 산 것,

나는 그게 제일 미안하고 아쉬워.

그래서 나는 요즘 내가 누구인지

나를 찾는 연습을 하고 있어.

내가 좋아하는 것이 무엇인지

내가 어떤 삶을 살고 싶은지 많이 생각하면서 살고 있어.

60세. 아직 늦지 않았다고 생각해.

요즘은 100세 인생이잖아.

점점 성장해 가는 내 모습에 나도 무척 뿌듯하고 행복해.

난 그 어느 때보다 지금이 가장 좋아.

외할머니가 일찍 돌아가셔서 나는 한 번도 본 적 없지만

아마 엄마가 노래를 잘하시는 건 외할머니를 닮아서가 아닐까 생각해.

꾀꼬리 같은 목소리를 가진 우리 엄마.

요양원에 누워 계시면서도 아픈 사람 같지 않게 힘차게 찬양하는 우리 엄마.

엄마가 지금 외할머니 배 속에 있다면,

나중에 태어나서 엄마 하고 싶은 일 하며 살았으면 좋겠어.

하고 싶었던 공부도 많이 하고

엄마가 원하는 성악가가 되어서 전 세계 방방곡곡에 엄마의 목소리로

사람들에게 위로를 전하는 멋진 성악가가 되었으면 좋겠어.

엄마의 꿈이 성악가였다는 걸 나는 너무 늦게 알았어.

그래서 5남매 중에 세 명이나 성악 공부를 시키셨구나.

엄마, 태어나면 많이많이 행복하셔야 해요.

엄마가 세상에 처음 태어나면 사람들이 엄마에게 이렇게 말할 거야.

"와, 첫딸이다. 애기가 어쩜 이리 똘망똘망할까?"

"우리 집안에 복덩이가 태어났네."

"우리 집에 온 걸 환영해. 넌 위대한 사람이 될 거야."

"이렇게 힘차게 우는 것을 보니 소프라노 성악가가 되겠네."

"최선을 다해 널 응원한다. 좋은 부모가 될게."

"아가야, 건강하게 자라렴. 행복해야 해."

엄마가 외할머니 배 속에서 드디어 세상 밖으로 나왔네.
많이 두렵고 떨릴 거야.
거인 같은 사람들도 있고, 처음 보는 것들이 많을 거야.
이젠 엄마 세상이야.
하고 싶은 것 마음껏 하며 살아.
무엇보다 다른 사람을 위해서가 아닌
엄마 자신을 위해 살았으면 좋겠어.
건강하게 자라서 하나님과 사람들의 사랑 듬뿍 받고
엄마의 꿈을 이루며 행복하게 살아.
엄마, 사랑해.

엄마, 그곳은 따뜻하지?
사랑둥이 내 엄마.
외할머니 외할아버지 기쁨이 될 울 엄마.

나는 지금 상상의 글쓰기로
외할머니 배 속에서 살고 있는
엄마의 쭈글쭈글한 작은 손발을 바라보고 있어.
왜 눈물이 날까?

외할머니는 엄마를 빨리 보려고 온 힘을 다하시고
외할아버지는 두 손 모아 기도하고 계셔.
힘내!
사랑스런 아기 엄마!

드디어 엄마가 세상으로 왔어!
울음소리도 힘찬 울 엄마.
이렇게 예쁠 수가!
아기 울 엄마가 탄생했어요.

엄마는 언제 제일 행복했어?

난 아빠가 '꼬네꼬네.' 해줄 때 그때가 제일 행복했던 것 같아.

엄마도 외할머니 외할아버지랑 함께일 때가 제일 행복하지 않았을까?

엄마는 우리 가족에게 귀하고 귀한 선물이야.

이 세상에 엄마가 온 이유는,

나와 오빠, 동생에게 사랑을 가르쳐 주기 위함이었던 것 같아.

이젠,

태아였던 엄마의 존재를 더 소중히 여기며

우리에게 보여주신 엄마의 사랑을 잘 실천하는 사람이 될게.

엄마 딸임을 자랑스러워하며

내가 만나는 사람들을 축복해 주며 말이야.

태아일 때부터 사랑스러웠던 엄마!

영원히 사랑할게요.

18.
박수진_ 잘 가요 내 사랑

난 떠올릴 수도 더듬을 수도 없습니다.

단지, 내 잔상에 남은 기억 한 컷은

나에게 웃음을 보이셨던 순간.

가끔 가슴 언저리 싸늘하게 공허함이 파도처럼 밀려들 때가 있었습니다.

눈을 지그시 감아 봅니다.

당신의 눈동자에 입맞춤하듯

함께하지 못한 세월, 무언의 침묵으로 대화를 합니다.

방대한 우주공간을 중력의 힘으로 자유로이 노니는 모습을 봅니다.

인연의 끈을 통해 세상과의 소통을 허용하며

오감을 통한 삶의 예행연습을 합니다.

세상 밖은 엄마가 생각했던 그런 곳이었을까요.

낯선 세상과 힘겨루기를 해야 함에 두렵지는 않았나요.

낯선 세상에 맞춰 살아가야 하는 것에 버겁지는 않으셨나요.

저 또한 몰랐습니다.

천지를 모르고 마냥 좋은 줄만 알았습니다.

마냥 따뜻한 곳인 줄만 알았습니다.

그렇게 허망하게 가실 거였음,

미리 귀띔이라도 해 주시지 그랬나요.

가시는 길이라도 볼 수 있도록 해 주시지 그랬나요.

우리 엄마,

꽃같이 살다 가셨을까요.

내가 어떻게 살아왔는지 궁금하지도 않으셨나요.

당신은 가고 내게 보석 같은 두 아이를 놓고 가셨군요.

그게 당신의 바람이고 선물이라 생각할게요.

이번 생, 인연이 아니었다면

다음 생에는 예쁜 모습으로 뵈어요.

멀리서나마 지켜봐 주세요.

당신의 손주들이 커가는 모습을요.

저는 아들의 뿌리가 잘 자랄 수 있도록 흙이 될게요.

엄마는 저희를 지켜보며 세상의 중심에서 태양의 빛이 되어 지켜주세요.

엄마 생전, 단 한 번도 사랑한다는 말을 전하지 못했습니다.

지금이라도 불러봅니다.

엄마, 사랑해요.

많이 그리웠습니다.

많이 보고 싶었습니다.

잘 가요 내 사랑.

외할머니, 고맙습니다.

우리 엄마를 세상에 태어나게 해주셔서 너무너무 고맙습니다.

우리 엄마를 잉태하고 열 달 동안 외할머니 궁전 안에서 품어주시고

피와 살과 뼈를 나눠 주셔서 고맙습니다.

엄마 고맙습니다.

저를 만나주셔서 감사합니다.

외할머니의 품 안은 따뜻했나요?

행복했나요?

기분이 어땠나요?

무슨 생각을 주로 하셨나요?

울기도 했나요?

춤도 추었나요?

놀라기도 했나요?

두려움도 있었나요?

용기를 낸 적도 있나요?

두 주먹을 불끈 쥔 적도 있나요?

엄마도 발차기를 했나요?

외할머니 배 속에서 무슨 생각하며 무슨 놀이도 하셨나요?

외할머니랑 이야기도 했나요?

난생처음 태아의 엄마를 생각하며, 지금 나를 봅니다.

그래요.

엄마도 아기였던 적, 그런 적이 있었군요.

외할머니의 젖을 먹고, 응애응애 울었던 시절 말이에요.

엄마는 처음부터 저의 엄마였기에

그 전의 처음은 없는 듯했고 관심도 가져보지 못했습니다.

나의 엄마가 되기 전 아이였을 것이고,

때론 아팠을 것이고,

두려웠을 것입니다.

1935년 2월 12일,

세상의 빛을 보셨습니다.

그리고 어느 날 강하고 강한 우리의 엄마,

모신이 되셨습니다.

제가 사춘기 시절이었을 때, 엄마를 보며

"난 어른 되면 엄마처럼 안 살 거야."라고 못되게 말했던 저를 용서해
주세요.

살아보니 엄마가 제게 보여주셨던 사랑,

그 사랑을 흉내도 못 내고 있음을 고백합니다.

여러 자식 밥 굶긴 적 없으셨고

교육 다 시켜 사람 노릇을 하며 살도록 해주셨습니다.

이혼을 백번도 더 했을 상황에도

"너그들 고아 만들 수 없었다." 하시며 엄마의 자리 꿋꿋하게 지켜 내셨습니다.

엄마는 제게 이미 충분하셨습니다.

엄마가 여리고 여린 아기였던 시절,

보호받아야 했던 핏덩이 시절을

어찌 이리 야멸차게 잊고 살았는지요.

온몸으로 가르쳐내신 그 모습.

그 걸음 옆에 서서

슬픔보다 진한 그리움을 달랩니다.

엄마가 안 계신 지금,

때늦은 고백,

철 지난 효도,

하늘 보며 편지를 띄워봅니다.

엄마 보고 싶어요.

엄마 지금 어디 계세요?

엄마 사랑해요.

엄마, 느낄 수 있나요?

만삭이 된 외할머니의 배를 따스한 눈빛으로 바라보고 있는

외할아버지의 사랑을요.

엄마,

외할머니 배 속이 따뜻하지요?

작은 아기인 엄마는 손가락을 빨면서 환하게 웃고 있네요.

외할아버지의 따뜻한 손길에

발로 뻥 차며 자신의 존재를 알려 줍니다.

엄마는 언제 행복했나요?

세월이 흘러 노인이 된 엄마가

"너희들을 키울 때가 최고로 행복했다." 말씀해 주셨던 게 기억나요.

카레를 한 냄비 끓여 주시면 게 눈 감추듯 퍼먹었던 5남매.

부족한 살림살이에도 저희들 밥 굶기지 않으려고 고생 많이 하셨지요.

함께 웃으며 누가 누가 먼저 먹나 내기하듯 맛나게 먹었던 울 엄마의 밥.

추운 겨울날이면 곰국을 한솥 끓이시던 엄마.

그리고 엄마가 지어주시던 하얀 쌀밥은 언제나 맛났습니다.

그 맛이 그립습니다.

날 가졌을 때 너무 가난해서 잘 드시지 못했죠.

태어난 거 보니 죽을 것 같아 호적에도 안 올렸다고,
그것이 지금도 가슴 아프다고 말씀하셨어요.
이렇게 튼튼한 딸이 어디 있냐고, 잘 컸다고
엄마를 위로해 드렸던 기억이 납니다.

엄마에게 전화 걸면
"사랑하는 딸, 고생한다." 이야기하시고 마지막엔
"전화해줘서 고마워."라고 하십니다.
엄마가 살아왔던 파란만장한 삶을 너무나 잘 아는 딸이지만
자주 찾아뵙지 못해 죄송합니다.
이젠 안부도 자주 여쭙고 사랑한다는 말도 잘할게요.

아기인 엄마가 태어날 때
문 앞, 외할아버지와 큰이모는 두 손을 꼭 잡고 기다리고 있어요.
"이쁜 딸아, 고생했다."
"이쁜 동생아, 보고 싶었어. 우리 함께 재미있게 살자."
웃음꽃이 피는 사랑 가득한 집이었습니다.

엄마,
꽃피고 봄이 오면 나랑 둘이 제주도 여행가요.
나의 딸이 있는 제주도.
할머니가 끓여주시는 라면이 그립다는 우리 딸들.
몇 년 같이 살면서 우리 애들 잘 돌봐주셔서 감사해요.

여생동안 6남매랑 여행도 하고 맛난 것도 드시고 웃으며 행복하게 지내봐요.

어머니,

그동안 고생하셨습니다.

감사합니다.

미안합니다.

고맙습니다.

그리고

사랑합니다.

21.
박언주_ 많은 것이 고마워

오, 엄마 안녕?

지금 뭐 해?

태아였을 때 엄마 모습, 상상이 돼.

지금처럼 활발하게 외할머니 배 속에서 놀고 있었을 거야.

나는 좋은 인생 선배들 덕분에

엄마한테 많은 질문을 해 봤네.

지금 더 생각나는 게 있어.

엄마가 어릴 적에 좋아했던 음식과 놀이는 뭐였을까?

오늘은 태아인 엄마에게 말해주고 싶어.

태어나줘서 고마워.

행복하게 살아줘서 고마워.

많은 순간 용기 내 주어 고마워.

만날 친구들이 많은 엄마,

여행 다니는 엄마,

아빠를 좋아하는 엄마,

다재다능한 울 엄마.

많은 것들이 고마워.

요리 잘하는 엄마를 둔 친구들에게 내가
"우리 엄마랑 바꾸자!"라고 장난치지만
"나는 스물여덟이야!" 하고
본인 나이를 자유롭게 정해버리는
행복한 엄마의 모습이 좋아.

앞으로 엄마의 날들이
사람들에게, 딸들에게
큰 가치가 됨을 알아줘.
엄마,
우리 엄마라서
고마워요.

엄마! 외할머니 배 속. 많이 깜깜하제? 나도 엄마 배 속에서 자랐는데 엄마도 외할머니 배 속에서 자랐다는 게 왜 이리 새롭나 모르겠다.

엄마를 기다림이 고추 달린 사내를 기다림이었다는 걸 엄마는 알았을까?

아, 정말 마음 아프다. 엄마는 존재 자체만으로도 소중하고 예쁜데 말이야.

엄마! 외할머니 배 속에서 마음껏 뒹구니까 기분 좋제? 양손으로 양발로 마음껏 움직이니 기분 좋겠다.

외할머니 배 속에서는 넘어지지 않으니까 진짜 좋겠다.

엄마한테 양손과 양발로 자유롭게 살아갈 날이 얼마 되지 않는다는 것을 그때는 모두가 몰랐으니까 말이야.

외할머니 배 속에서 지냈던 엄마의 시간은, 정말 소중했어.

짠!

드디어 세상에 태어난 기분이 어때?

"아이고 녀석. 고추 좀 달고 태어나지."

엄마가 수없이 들었던 말.

하지만 이제 내가 새롭게 이야기해 줄게.

"내 아기 너무 예쁘다. 사랑해.", "엄마에게 와 줘서 고마워.", "어머, 어쩜 이리도 손과 발이 앙증맞고 예쁠까?", "넌 참 소중해."

23년 뒤,
엄마를 닮은 두 딸을 맞이할 시간이 되었네.

녹록지 않은 삶을 살아내느라 예쁘고 고운 시절을 희생한 엄마! 아들을 그토록 기다리던 외할머니와 외할아버지에게 사랑받지 못해서 마음 아프지? 괜찮아! 열심히 살아 온 엄마는 칭찬받고 사랑받을 자격이 있어.

엄마가 보여주었던 그 사랑과 헌신으로
우리가 살아갈 수 있었어.
엄마의 예쁜 마음,
세상에 잘 보여주면서 지금보다 더 잘 살아갈게.
엄마,
태어나줘서 고마워.
그리고
사랑해요.
많이많이
사랑해요.

23.
장윤진_ 빛과 소금처럼

엄마,

그곳은 많이 깜깜하지?

무섭진 않아?

엄마의 조그마한 손가락이 보여.

우리에게 맛있는 음식을 만들어 주신 손.

꼼지락꼼지락,

엄마의 존재감을 알리고 있네.

늘 우리 4남매에게 발로

행동하는 모습으로

언행일치 삶을 보여준 우리 엄마.

엄마는 일찍 돌아가신 외할머니가

언제 제일 보고 싶어?

엄마는 어릴 적 꿈이 뭐야?

엄마는 어떨 때 가장 행복해?

엄마에게 윤진이는 어떤 딸이야?

엄마는 어떤 곳에 제일 가고 싶어?

엄마가 가장 힘들 때는 언제였어?

엄마가 지금 제일 갖고 싶은 게 뭐야?

늘 엄마에게 이런 말을 꼭 하고 싶었어.

엄마는 우리에게 이 세상 최고의 엄마야.

나도 엄마가 되어 보니 우리 4남매를

정말 정성껏 사랑으로 키웠구나 하는 맘이

너무너무 많이 들어.

부족함 없이,

세상 어딜 가도 당당하게 살아갈 수 있는

자존감 있는 여자로 키워줘서 고마워.

엄마의 어린 시절 얘기 들을 때

늘 엄마에게 미안한 마음이 들었어.

엄마,

윤진이 엄마가 되어줘서 고마워.

엄마가 이 세상에 탄생했어!

엄마의 울음소리에

모든 사람들은 깜짝 놀랐어.

울음소리만 들어도

똑! 소리 나는 똑순이 같다고 얘기해.

"야, 영리하게 생겼구나."

"이쁜데 여장부감이야."

"우리들에게 와줘서 고마워."

엄마, 조금만 더 힘내.

엄마가 이 세상을 만나면서
세상은 더 많이 풍성해지고 행복해졌어.
엄마는 늘 나에게 자신감 있는 모습으로
누구에게나 좋은 것을 나누고
약한 자를 돕는 모습을 보여 주었어.
엄마의 마음을 나도 잘 배워서
세상에 빛과 소금처럼
귀한 사람으로 살아갈게요.

엄마, 고마워.
엄마의 탄생을 축복해.
사랑해.

24.
류수진_ 엄마! 당신은 아름다운 여인이 될 것입니다

엄마,

지금은 외할머니 태중에 있는 엄마를 느껴 보고 있어요.

엄마 인생에서 제일 안락했을 그 시절 태아의 엄마 말이에요.

티 없이 맑고 조그맣고 따뜻하고 제일 안전했던 그곳.

외할머니의 고된 일상을 고스란히 느끼며 함께 하루를 견뎌내었을 엄마.

그 인내의 힘으로 가정을 지키셨고 우리를 꿋꿋이 키워낼 수 있었어요.

엄마는 어렸을 적 꿈이 무엇이었어요?

지금 하고 싶은 것은 무엇인가요?

엄마가 하고 싶은 것을 왜 하지 못하고 계시는가요?

엄마라는 존재는 무엇이라고 생각하시나요?

엄마는 왜 끝까지 가정을 지키고 계시는가요?

'사랑'이란 무엇이라고 생각하시나요?

오늘은 태아인 엄마에게 이런 말을 해주고 싶어요.

엄마는 사랑이 많은 사람이 될 거예요.

위로와 따뜻함과 기도가 필요한 이들에게

마르지 않는 오아시스 같은, 생명수 같은 엄마.

버림받은 예수님을 닮은 삶을 살지만,

그 예수님을 낳은 성모님이 될 거예요.

엄마가 세상에 태어날 때 예수님처럼 곁에 예언자들이 있었다면
이렇게 이야기해 주었을 거예요.
"아기가 어쩜 이리도 예쁘고 고울까!
한 집안에 평화와 사랑을 가득 베풀며
많은 이들에게 희망과 위로가 되어줄 사람이여!
동방박사의 별처럼 반짝반짝 빛나고,
깜깜한 하늘의 보름달처럼 아름다운 여인이 될 것입니다."

힘이 없어 우렁차게 울지도 못하고 6남매의 막내로 태어나 환영받지
도 못했지만, 두 주먹 불끈 쥐고 꼬물꼬물 움직이는 엄마의 모습이 천진
난만하고 귀여운 아기의 모습입니다.

나의 사랑하는 엄마!
나의 곁에 계셔 주셔서 감사합니다.
엄마가 오실 때는 곁에 없었지만,
엄마 가시는 길에는 꼭 곁을 지켜드리고 싶습니다.
고맙고, 사랑합니다.
고납순 요안나!
나의 엄마가 자랑스럽습니다.
존경합니다.
오래오래 함께 있어 주시길 기도드립니다.

25.
이정금_ 우린 행운아

엄마!

외할머니 배 속은 캄캄하지?

이제 바깥세상이 궁금해서 빨리 나오고 싶지?

나중에 엄마의 눈은

초롱초롱 호기심 가득하고 별빛 같을 거야.

더 먼 훗날,

엄마가 우리의 엄마가 되었을 때

기다리고 기다리던 아들이

셋째로 태어나던 날이 제일 행복하다고 말씀하셨던 엄마를 기억하고 있어.

엄마는 갖고 싶은 것이 참 많으셨지요.

특히나, 따뜻한 보금자리를 원하셨어요.

엄마를 행복하게 해 드리고 싶어

저는 열심히 달렸답니다.

그리고 엄마는

자녀들이 신앙을 바탕으로 성장하기를,

사람들에게서 훌륭한 자녀를 두었다고 칭찬받기를 원하셨죠!

엄마의 바람만큼
우리는 잘 성장한 것 같아요.

고생 다 하신 뒤 살 만하니
우리 엄마, 암이래요.
얼마나 황당하셨을까요?
얼마나 슬프셨을까요?

엄마는 고운 꽃을 닮은 색들을 좋아하시죠.
엄마는 칼국수를 직접 밀어서 손님 접대하시는 것을 즐기셨죠.
엄마는 여행을 참 좋아하셨죠.
미국 다녀온 할머니라고 유명하셨죠.
엄마와 우리 독수리 오형제,
이승에서의 마지막 여행을 했던 것이 지금도 꿈결 같네요!

오늘은 태아인 엄마에게 이런 말을 하고 싶어요.
엄마는 존재 자체만으로도 귀하다고 말이에요.

엄마가 세상에 나와 울음을 터뜨릴 때 사람들은 이렇게 말해 줄 거야!
"참 어여쁘구나."
"우리 귀한 맏딸. 잘 와주었다."

엄마의 탄생은 신의 축복이야!

멋진 남자를 만나서 행복하게 인생을 잘 즐기시고

위대한 어머니로 인생을 마무리하실 거예요!

이 세상에서 엄마를 만난 것을

아주 행운이라고 생각해요.

엄마,

사랑해요!

26.
김명희_ 내가 외할머니라면

어머! 엄마네!

엄마도 거기 있었네요.

우리, 배 속 동지구나!

외할머니는 배불리 드셨을까?

그래야 엄마가 쑥쑥 자랄 텐데.

손가락이 자라고

발가락이 자라고

키가 자라는 느낌, 어때요?

외할아버지, 외할머니는 어떤 분이세요?

한 번도 물어보지 못했어요.

몰라서였을까요?

고아라는 것을 알아서였을까요?

우리는 또 동지네요. 엄마가 없으니.

너무 늦게 물어봐서 미안해요, 엄마.

외할머니는 다정하셔요?

외할아버지는 배를 만져주셔요?

어떤 말을 들었을 때 가장 좋았어요?

내가 외할머니라면 엄마한테 이렇게 말해줬을 거예요.
"우리 아가, 엄마에게 와줘서 고맙다. 사랑한다."

준비 끝.
하나, 두울, 셋. 출발!
영차! 영차! 왜 이래 좁아?

엄마 할 수 있어요. 힘내요.
한 번만 더, 한 번만!
모두 엄마가 등장하길 기다리고 있어요.
엄마 들려요?
"나온다. 나온다!"

엄마, 축하해요.
고단하지요.
어둡고 축축했던 그곳보다 밝고 화창한 이곳이 더 좋지요?
인기 좋네요. 동네방네 어르신 다 오셨어요.

우리 이번에는 신생아 동지네요.
다음은 어디서 만날까요?
부디,
건강히 다시 만나요.

27.
최경순_ 사랑스런 사람

엄마, 엄마는 외할머니 배 속에 있을 때 무얼 생각했을까?

엄마가 태어날 때는 우리나라가 해방도 되기 전이었어.

세상에 빨리 나오고 싶었을까?

외할머니는 엄마를 배 속에 품고 있으면서 무얼 생각했을까?

엄마.

내가 아이를 가졌을 때를 떠올려 보고 있어.

열 달 동안 내 아기와 이야기를 많이 했어요.

"아가야, 엄마가 되게 해 준 걸 고마워.

빨리 만나고 싶구나.

너도 엄마 빨리 보고 싶어서 배를 차고 긁기도 하고 엄마 배가 울퉁

불퉁해.

잠시도 가만있질 않네."

너무 고귀한 생명이라 기뻤어요.

울 엄마도 나를 가졌을 때

나처럼 이런 맘이었을까?

엄마는 아기 때 많이 울었나요?

엄마는 언제 제일 행복했을까?

엄마가 갖고 싶은 것은 뭘까요?

엉엉 울고 싶을 때는 언제였어요?

엄마는 책가방을 메고 학교에 가고 싶었구나.

공부가 즐겁고 재미있었다고 늘 말씀하시고

그때가 그립다고 하셨지요.

9살 때 6.25전쟁이 일어나서

학업을 이어갈 수가 없어서 늘 아쉬워했지요.

엄마,

지금 내 옆에 있어 줘서 고마워요.

아버지 먼저 하늘나라 가신 뒤로 홀로 40여 년간 5남매 키우고 출가시키고도 않으나 서나 자식들 먹여 살린다고 당신 몸은 항상 뒷전이셨죠.

이제는 순이가 엄마 모시고 맛난 것도 먹고 여행도 같이 갈게요.

엄마가 세상에 태어날 준비를 하고 있어요!

동네 사람들은 세상에서 제일 이쁜 공주가 태어났다고 동네잔치를 벌였어요.

"귀하고 예쁜 딸아. 내 곁에 와서 고맙구나."

외할아버지와 외할머니가 기뻐하고 계세요.

엄마가 세상에 나왔기에

내가 지금 살고 있고

나도 엄마를 닮아서

내 아이에게 귀하고 소중한 존재임을
알려주고 사랑한다고 말해줍니다.

엄마 사랑해요.
엄마 고마워요.
엄마 늘 믿어줘서 감사해요.

세상에서 가장 멋있고
가장 아름답고 큰 산
사랑스런 사람
우리 엄마.

28.
민다안_ 정말 예쁘다

작디작은 우리 엄마.

무슨 생각을 하고 계신가요?

세상에 나올 준비를 하고 계시나요?

엄마 손이 참 귀엽네.

발도 귀여워.

반짝반짝, 엄마의 눈은 분명 보석을 닮아 있을 거야.

그곳은 어때요?

딸이라고 세상에 나오기 싫은 건 아니지?

지금의 엄마를 떠올려 보고 있어.

엄마는 언제 제일 행복했었어?

엄마의 꿈은 뭐야?

엄마가 다시 태어난다면 어떤 사람으로 태어나고 싶어?

과거로 다시 돌아간다면 몇 살 때로 돌아가고 싶어?

엄마는 나를 가졌을 때 기분이 어땠어?

"갖고 싶은 거 없어? 먹고 싶은 건?"

엄마한테 전화해서 물어보면

엄마는 왜 아무것도 없다고 말해?

원하는 걸 말을 해야 뭐라도 해주지.

오히려 내게 필요한 거 없냐고 물어봐 주시는 우리 엄마.

사랑한다는 말 한번 제대로 못 한 나.

지금이라도 고백해 볼래.

"엄마, 사랑해."

다시, 이 세상을 맞이할 아기의 엄마를 바라보고 있어.

엄마의 탄생을 누구보다도 축하해.

이모들도 예뻐서 신기한 듯 쳐다보네.

엄마, 정말 예쁘다.

그러니 딸이라고 주눅 들지 마세요.

마흔에 홀로 되셔서 우리 오 남매 키우시느라 고생 많으셨어요.

고마워요.

엄마, 우리 제주도 여행가자.

엄마 딸 셋이서 함께.

어때, 좋지?

이제라도 엄마가 하고 싶은 거 실컷 하고,

엄마가 드시고 싶은 거 실컷 드시고,

엄마 마음 표현하면서 사셨음 해요.

엄마, 엄마는 최고야!

언제나, 그리고 영원히.

29.
김민아_ 다시 태어나도 엄마와 딸

엄마,

외할머니 배 속은 어떤 세상이야?

따뜻해?

넓어?

안전해?

행복해?

하얗고 동글동글 예쁜 손은

우리 5남매 배를 쓸어줄 약손.

까맣고 맑은 눈동자는

우리를 바라볼 거울.

콩닥콩닥 심장 뛰는 소리는

세상 밖 일들이 궁금해서 외할머니께 질문하는 소리.

엄마의 손과 발로 나를 키워줄 생각을 하니

눈물이 나.

엄마,

검정 고무신 신었을 때랑 내가 사준 하얀 운동화 신었을 때랑

기분이 어떻게 달랐어요?

넉넉하지 못한 형편에 끼니 걱정이 앞섰던 무정한 세월 속에

옷가지, 신발 하나 제대로 못 샀던 우리 엄마.

늘 값싼 꽃무늬 옷을 손에 잡던 엄마께서

"딸아, 나 흰 바지랑 흰 신발 한 켤레만 사다오." 하시던 날이 기억나요.

재래시장 구경을 좋아하셨던 엄마를 휠체어로 모시고 홈플러스 구경
도 다녔지요.

엄마 몸에 꼭 맞는 흰 바지랑 흰 운동화를 사드린 날,

볼에 신발을 몇 번이고 부비시더니 머리맡에 두고 주무셨지요.

그 신발이 엄마가 하나님께 가시는 마지막 날까지 함께 해서

참 다행이고 참 고마웠어요.

엄마, 막내딸이 사준 흰 운동화 신었을 때 기분이 어떠했어요?

자꾸 눈물이 납니다.

나를 바라볼 때 마음이 어땠어요?

맏아들 동락 오빠 볼 때는요?

둘째딸 동희와 막둥이 섭이를 볼 때는?

세상을 먼저 떠난 큰딸 정옥 언니랑

죽어도 보기 싫다는 아버지를 바라볼 때 마음이 어땠어요?

엄마는 간장 한 종지, 나물 반찬 하나, 식은 밥 한 덩이도 감사히 여
기셨죠.

두 손을 꼭 잡으시고 자식들 잘되라고 잠자리 들기 전에도 식사 전에
도 늘 간절한 기도를 올리곤 하셨지요. 엄마 한 몸 가누기도 힘드셨을
텐데요.

엄마.

지금이라도 행복하셨음 좋겠어요.

하늘나라에서는 많이 웃었으면 좋겠어.

엄마, 내 엄마.

이제는 막내딸이 엄마를 위해 기도드리겠습니다.

엄마의 탄생을 상상으로 지켜보고 있어요.

"어머나! 산림 밑천 첫째 딸이네요."

외할머니와 동네 아낙네들이 엄마 볼을 만져 보네요.

"울음이 우렁찬 걸 보니 나랏일을 하겠어요."

"두 주먹 불끈 쥔 걸 보니 아들 못지않게 큰일을 해내겠어요."

외할아버지는 초승달 눈웃음을 지으시며 엄마를 바라보고 계세요.

이렇게 엄마는 가족과 우주의 축복 속에 완벽한 작은 아이로 태어나셨어요.

우리에게 세상 빛을 선물해주신 위대하신 내 엄마.

다시 태어나도 귀한 내 엄마, 엄마의 딸 인연으로 이어지길 간절히 바라봅니다.

엄마의 탄생을 축하드리며 내 엄마라서 가슴 깊이 감사드립니다.

보석보다 귀한 내 아들 민재도 엄마가 주신 사랑처럼 그렇게 바라보겠습니다.

다시 태어나도 내 엄마하자.

많이 사랑합니다.

30

신입선_ 참 잘 와 주었어

엄마, 무엇을 바라보고 있어요?

좋은 세상 보고 싶지?

거긴 좁지?

외할머니 배 속에서 이 세상 나올 준비 한다고 몸부림치면서 안간힘을 쓰신 엄마.

장한 우리 엄마.

외할머니 배 속에서 재밌게 보냈지?

나도 엄마 배 속에 있을 때가 최고 편안하고 좋더라.

엄마, 축하해.

이제 막 탄생해서 울고 있는 엄마의 모습을 그려 보아요.

힘찬 목소리네요.

무엇이든 다 잘할 것 같은 목소리 좋아요.

맏딸로 태어나서 외할아버지와 외할머니께 사랑을 듬뿍 받았죠.

엄마가 가고 싶은 곳은 어디였어?

편안한 마음으로 여행하는 삶을 사셨으면 좋았을 텐데,

여섯 남매 키우면서 아버지께서 벌여 놓은 사업 뒤치다꺼리한다고

늘 마음 졸였을 엄마.

엄마는 얼마나 허탈했을까?

엄마만의 인생은 생각조차 하지 못한 엄마.

오늘은 태아인 엄마를 계속 생각해 보고 있어요.

이 세상은 너무나 아름다워요.

새벽에 엄마를 주제로 글을 쓰는데 모든 분이 울고 있네요.

사연들이 많아요.

나도 찔끔 눈물이 나요.

엄마,

힘든 세월 다 이겨 내면서 항상 나 보고

"웃어라. 웃으면 복이 온다." 하시며 잘 키워줘서 고마워요.

엄마, 참 잘 와 주었어. 고마워요.

이제는 저세상에 계신 엄마, 불러도 대답도 없네요.

철이 들면 늦다고 하던데 지금 엄마가 너무 보고 싶어요.

엄마,

고맙고 사랑합니다.

세상을 살아가면서 엄마처럼 나누고 배우면서 멋진 사람 되도록 노력

할게요.

날마다 감사하는 삶을 살아갈게요.

엄마의 탄생,

정말 감사합니다.

31.
최영혜_지금 이 순간 가장 행복하게

엄마,

태아의 모습으로 외할머니 배 속에 있는 엄마 모습을 상상해 보고 있어.

그랬구나.

엄마도 아기였을 때가 있었구나.

꼬물꼬물 작은 손과 발로 태어나

어떻게 나를 키웠을까 생각하니 이내 눈물이 나네.

할머니 배 속에 있을 때는 얼마나 편안했을까?

태어나 그렇게 힘들고 외롭게 살아가야 한다는 사실도 모르고

어린 나이에 아버지 돌아가시고 얼마나 고생을 많이 했을까?

결혼해서는 남편도 멀리 외국으로 일하러 가고

혼자서 얼마나 외롭고 힘들었을까?

엄마, 고생 많았지요.

그 마음 몰라줘서 미안해요.

그리고 고맙습니다.

엄마가 행복했을 때는 언제야?

나는 어릴 때는 친구들과 뛰어놀고

지금은 사랑하는 가족들과 맛있는 음식 먹으며 도란도란 이야기할 때

가 행복해.

엄마, 기억나?

내가 학창 시절 때 엄마가 일하는 곳에 가서 기다렸다가 같이 집에
가고 그랬는데 이제 내 딸 소영이가 그러네.

엄마 껌딱지처럼 어디든 같이 갈려고 해.

아가인 엄마에게 해주고 싶은 얘기가 있어.

"우리 아가 금옥아. 손가락도 열 개, 발가락도 열 개, 코도 오뚝하니
어쩜 그리 예쁘니? 건강하게 태어나줘서 고마워. 존재만으로도 얼마나
귀하고 소중한지 모른단다. 정말 기쁘구나."

엄마,

세월이 참 빠르지?

칠십의 나이를 훌쩍 넘긴 우리 엄마가 되었어.

인생은 칠십부터라고 하던데

지금부터는 엄마만 생각하고

맛있는 거 많이 먹고

여행도 다니고

좋은 옷도 입고

하고 싶은 거 다 해봅시다.

그러려면 건강이 최고지!

건강하게 행복하게 살아요.

즐기면서 살아요.

엄마는 모든 것을 누릴 자격이 있어요.

지금 이 순간 가장 행복하게,

눈이 부시도록 아름답게 살아봐요.

32

문상희_ 엄마한테 이렇게 말해 줄래

엄마, 안녕?

만나서 반가워.

이렇게 편지로 엄마를 만날 수 있다는 게

얼마나 복인지 몰라.

엄마도 놀랍지?

외할머니 배 속에서

계속 자고 있네.

조그마한 손발 모양이 얼마나 신기한지 자꾸 들여다보게 돼.

오늘은 조금 일찍 잠에서 깨어

외할머니 배를 발로 뻥뻥 차고 있구나.

태아의 엄마를 조금 상상해서 썼을 뿐인데,

'엄마'라고 두 글자를 썼을 뿐인데,

내 마음은 우주만큼 커지고 사막만큼 먹먹해졌어.

엄마가 내 엄마로 살 때,

내 삶에 치여서 엄마의 고달픔을 보고 싶지 않았어.

알려고도 하지 않았지.

지금도 이렇게 후회가 되는데

앞으로 살아갈 동안 난,

얼마나 더 많은 후회를 하게 될까?

엄마,

다음엔 내 딸로 태어나줘.

아무리 바빠도 자식한테 잘해주는,

엄마의 엄마가 되어줄게.

그리고 엄마한테 이렇게 말해 줄래.

"우리 딸,

힘들면 힘들다고 말해도 돼.

하기 싫으면 안 해도 된단다.

널 만난 것 자체가 축복이야.

언제나 사랑해 줄게."

엄마가 나에게 보여 준 사랑보다

열 배 더 많이 베풀게.

엄마, 많이 보고 싶어.

엄마도 그렇지?

미안해.

그리고 사랑해.

3장

배워 봄 : 성공의 요소, 한 문장이면 충분하다

정말 중요한 것은
배움을 지속하는 것이다.
도전을 즐기는 것이다.
그리고 모호함을 인내하는 것이다.

• 마티나 호너 •

1.

이정금- 진정 행복한 인생을 누려는구나!

왕이건 농부이건 자신의 가정에 평화를 찾아낼 수 있는 이가

가장 행복한 인간이다.

• 요한 볼프강 폰 괴테 •

지혜로운 햇살아?

행복한 인간이란 어떻게 살아야 한다고 생각하니?

글쎄.

희로애락을 충분히 느끼고 누리면서 매일을 살아가는 것이 행복이 아

닐까?

그렇구나!

철학자 같은 표현이네.

네가 생각하는 희로애락을 조금 더 구체적으로 이야기해 볼 수 있을

까?

어려서부터 주변 사람들보다 난 불행하다고 생각하며 살았어.

그래서 늘 행복을 좇아 다녔지.

중년이 되니 생각이 달라지더라.

매일 다르게 주어지는 삶의 색깔을 긍정의 마음으로 바라보면서
아침 햇살을 반가이 맞이하게 되었어.
누리는 삶이 행복한 삶이라고 믿게 된 거야.

하루를 맞이하는 너의 영혼이 이미 행복을 머금고 있구나!
희로애락을 즐기는 너!
삶을 소중히 다루는 너!
축복한다!
축하한다!
진정 행복한 인생을 누리는구나!

2.

박언주_ 되돌아보고 되새기니

우리는 소에게서 배워야 할 일이 한 가지 있다.
그것은 반추(되새김)하는 일이다.

• 프리드리히 니체 •

제인아,
너에게 꼭 되새겨야 할 일이 있다면 어떤 것이 있을까?

음, 행복하고 감사한 순간들이겠지?

행복하고 감사한 일!
그렇구나.
왜 이렇게 생각하게 됐어?

하루의 일들을 기록해보면서
예쁜 감정을 함께 섞으니
행복과 감사가 되었어.
되돌아보고 되새기니 나의 하루가 더 풍요로워졌단다.

행복과 감사를 곱씹는다니

너의 하루는 이미 빛나고 있구나.
예쁘게 되새긴 기억들이 쌓이고 쌓일
너의 존재를 늘 응원하고 축복할게.

3.
김민주_ 내 인생의 1순위

아름다움이란 당신이 자신을 받아들이기로 결심할 때부터 시작된다.

• 가브리엘 샤넬 •

희망아,

넌 '아름다움'이 뭐라고 생각해?

나에겐 대답하기 쉬운 질문이네.

예쁘고 보기 좋고 부러운 것, 그게 아름다운 거지.

어머나! 나하고 생각이 똑같네.

또 궁금한 게 있어.

누군가 부러울 때는 언제야?

음, 나한테 없는 거 가진 사람이 부러워.

그런데 엄마가 되고 나니까 부러운 사람들이 별로 없어.

왠지 알아?

나를 최고로 생각하고, 언제나 믿고 응원해 주는

든든한 아들이 내 옆에 있고,

우리를 지켜주는 부모님이라는 튼튼한 울타리가 있거든.

맞네.

너는 언제나 가족을 먼저 생각하는 따뜻한 아이였어.

항상 그 자리에 있어 주는 부모님처럼,

너도 아들에게 그런 엄마로 살아가고 있음을 글을 쓰면서

느끼게 되었구나.

희망아,

너에게 찾아온 '아름다움'이자,

내 인생의 1순위는 언제나 '나'라는 것을 알게 됨을 축복해.

그리고 따뜻한 사랑을 나누는 작가가 되어 감을 응원해!

4.
김보배_ 비범하다

중요한 것은 평범한 말로 비범한 걸 말하는 거다.

• 아르투르 쇼펜하우어 •

비범.

무슨 뜻일까?

네이버 어학사전을 찾아봤다.

'보통 수준보다 훨씬 뛰어난 것.'

몰랐던 것을 알게 되니 새롭고 기쁘다.

'비범' 뜻을 알고 나니

어느 날 텔레비전 〈꼬꼬무〉에서 보았던,

안중근 의사가 사형선고를 받고도 두려워하지 않던 모습이 떠올랐다.

비범하다.

유관순 열사가 감옥에 갇혀서도

"대한독립만세!"를 외쳤던 모습,

비범하다.

평범한 사람들 중에도

비범한 사람이 있지 않을까?

나의 진정한 친구 옥숙이는

내가 알지 못하는 것들을 깨우쳐 준다.

사람을 보는 눈을 안내해 주었고

행복한 여행을 하는 방법들도 알려주는 등

사소한 것부터 큰일까지

많은 도움과 추억을 주었다.

비범하지 않은가?

정자는 어려서부터 어른스러웠다.

늘 나를 과분하게 감싸 준다.

종이 한 장도 허투루 버리지 않고 고물상에 가져다 팔았던 때도 있었다.

알뜰한 모습, 비범하다.

만만치 않은 시어른들을 공경하는 모습도 비범하다.

아우투르 쇼펜하우어가

"평범한 말로 비범한 걸 말하라."고 했다면 나는

"당신 주위의 평범한 사람들의 비범함을 알아차려라."라고 말하고 싶다.

5.

김나림_ 위대한 시간

가장 위대하고 심오한 진리는 가장 단순하고 소박하다.

• 톨스토이 •

너에게 있어 '위대하다'는 것은 어떤 의미야?

위대함은
어제의 나를 넘어서는 것이라고 생각해.

와! 멋진 표현이네.
너는 그 위대함을 삶에 어떻게 적용하게 되었어?

타인과 나를 비교하던 시절이 있었어.
그리고 알게 되었지.
'그건, 악마의 시간이었구나.'라는 걸 말이야.
"성공자는 어제의 나와 경쟁하고 2인자는 타인을 본다"는 글귀를 본
적 있어.
그 뒤로는 의도적으로 '어제의 나를 넘어서자!' 다짐하고 실천했지.
이젠,
나를 기특하고 어여쁘게 여기고 있어.

매일 나를 인정해주고 응원해주는 말을 해 주고 있단다.

사랑하는 새벽 시간, 모닝 페이지를 적고 있어.

경험과 독서에서 깨달은 바를 삶으로 적용하는 내가 더 위대해지는 시간이라 행복해.

이미 위대함을 매일 실천하고 있다니 참 대단해!

너의 선택과 시간,

그리고

빛나고 위대한 너의 삶을 축복해.

6.
윤경희_ 나를 버티게 하는 힘

아침에 눈을 뜨면 무엇보다도 먼저
'오늘은 한 사람에게만이라도 기쁨을 주어야겠다'
는 생각으로 하루를 시작하라.

• 프리드리히 니체 •

친구야, 너는 '감사'라는 단어를 보면
어떤 생각이 떠오르니?

좋은 질문을 해 주어 고마워.
감사란,
'힘든 상황과 마음을 잘 버티게 도와주는 아주 강한 힘'이라고 생각해.

버티게 하는 힘이라고?
어떻게 그런 생각을 하게 되었는지
조금만 더 상세히 이야기해 줄 수 있을까?

해외에서 살았던 20대 시절,
감사하게도 꿈을 발견하게 되었어.
말을 하기 어려운 의사소통 장애 아이들과 성인들, 직장 동료,

다양하게 많은 사람을 만나게 되었지.

사람들과 함께 웃고 함께 울며,

나의 부족한 모습에 속상해하고,

변화하고 성장하는 모습에 뿌듯해하기도 했어.

감사한 마음으로 어려운 상황을 바라보고 버티니

모든 일이 나에게 보약이 되어 주었단다.

그때 깨달았어.

작은 일상의 행복이 감사라는 것,

내 삶을 성찰할 수 있음이 감사라는 것을 말이야.

그래서 '감사란, 나를 버티게 하는 힘'이라고 표현하게 된 거야.

그래, 그렇구나.

다양한 사람과 함께 만나며 자신을 배워가고

도움을 주는 사람이 되고 싶었구나.

너의 꿈으로 감사와 희망을 사람들과 나눌 수 있다니 정말 멋져.

한 걸음 한 걸음 나아가는 너의 미래를 진심으로 응원할게.

7.

변혜영_ 지혜로운 사람

화가 나거든 무엇인가를 말하거나 행하기 전에 열까지 세어라.

그래도 화가 풀리지 않는다면 백까지 세어라.

그래도 안 되거든 천까지 세어라.

· 토머스 제퍼슨 ·

헬레나,

넌 화가 나면 어떻게 하니?

한 번, 두 번, 세 번.

숨을 크게 쉬어 본다.

그리고 나면 언제 화가 났냐는 듯

거짓말처럼 평온해져.

이야!

간단하면서도 확실한 방법이네.

나도 해 봐야겠어.

화를 진정시키고 난 후에는 어떻게 해?

음,

내가 왜 화가 났었는지 스스로에게 질문을 던져 본단다.

그리고 내 생각을 전달해야 하는 상황이면

차분하게 상대방과 대화를 이어 가지.

이야! 멋지다!

그래서 너는

화를 잘 내지 않는 사람, 지혜로운 사람이라는 말을 듣는구나.

나도 너처럼 해봐야겠다.

지혜를 나누어 주어 고마워.

늘 멋진 선택을 하는 너를 배울 거야.

8.

이숙희_ 무한대

우리를 절망에 빠뜨리는 것은 불가능이 아니다.

우리가 깨닫지 못했던 가능성이다.

• 프랑수아 드 라로슈푸코 •

미영아,

넌 '가능성'이란 단어를 보니 어떤 생각이 들어?

음, 가능성이란 단어가 참 좋네.

가슴 떨리게 하는 단어야!

이야, 정말?

조금 더 구체적으로 말해 줄 수 있어?

가능성을 대체할 수 있는 단어는

'무한대'가 아닐까 싶어.

뭐든지 할 수 있는 희망의 단어니까 말이야.

가능성은 내가 행동한 만큼의 결과물이 아닐까?

할 수 있다고 용기를 주는 단어이기도 해.

"나는 할 수 있다! 해보자! 너 자신을 믿어봐!"라고 말해주는 것 같아.

우와! 멋진 생각이야!

가능성을 무한대로 표현하다니!

어떻게 가능성을 무한대로 생각하게 된 거야?

내가 다이어트 프로그램(33헬시 클럽)에서 3등 안에 들면

리무진을 태워 준다는 말에 꼭 타고야 말겠다는 목표가 생겼어.

정말 열심히 상상도 하고 행동으로 옮겼더니 리무진을 탈 수 있었어!

500명 중에서 수상을 했으니 대단한 결과였던 거야.

꿈이 이루어지는 가능성을 보게 된 나는

또 다른 꿈을 꿀 수 있는 용기를 얻었지.

그래서 가능성은

또 다른 무언가를 할 수 있는 무한대라는 생각을 하게 되었어.

멋지다. 정말 대단해!

리무진 타게 된 걸 축하해.

너는 한 번 마음 먹으면 해내는구나!

또 다른 목표를 이루기 위한 용기가 생겼다는 건

무한대로 발전할 수 있다는 뜻이지.

5년 후, 10년 후 너의 미래가 무척 기대가 돼.

가능성을 무한대로 바꾼 너의 미래와

반짝반짝 빛나는 너를 응원할게.

오늘도 또 다른 꿈을 꿀 수 있음에 감사합니다.

9.
손지주_ 우린 이미 답을 알고 있어

기회가 없음을 두려워하지 말고, 준비되어 있지 않음을 두려워하라.

• 랠프 에머슨 •

지니야,

너는 '두려움'은 뭐라고 생각해?

음,

나에게 보내는 경고 메시지 같아.

경고 메시지라니, 벌써 열어보고 싶지 않은걸?

왜 두려움을 경고 메시지라고 생각하게 되었을까?

두려움이란,

잘 모르는 것에 대한 막연한 공포심이거든.

그에 대한 자연스러운 신호라고 생각해.

인생은 순식간에 지나가기에 막연하다고 미루는 순간들이 모여

경고 메시지가 쌓여만 갈 거야.

사실 지나고 보면 별것 아니었던 시간들인데 말이야.

우린 이미 답을 알고 있어.

지금 찾아온 이 두려움도 결국 사라져버릴 감정이라는 것을.

이젠, 두려움을 벗 삼아 너의 감정을 온전히 느꼈으면 좋겠어.

예측하고 준비된 자신을 마주했으면 좋겠어.

그러니 우리가 받은 경고 메시지를 하나씩 지워나갈 준비를 해보자.

쉽게 풀어 비유해줘서 고마워.

두려움을 막연한 불안함으로 바라보지 않고,

내 인생을 더욱 빛나게 밝혀줄 촉진제라 생각하고 준비된 사람이 되어 볼게.

고마워.

너에게 느껴지는 에너지, 희망, 자신감이 나에게도 가득 찼어.

모든 이가 걱정과 두려움 없이 살 수 있는 세상을 만드는 일에 힘이 되어 주길 바랄게.

너의 삶을 응원해.

10.
이정안_ 황금 나비가 되어

너의 행동을 낮게 하고 너의 희망을 높게 하라.

• 조자 하버트 •

사랑스런 정!

넌 희망을 높게 가지고 도전해 본 경험이 있니?

응! 있어.

꿈 많던 여고 시절,

좋아하는 국어 선생님과 함께 감동하며 읽은 책

《꽃들에게 희망을》 내용을 먼저 소개해 줄게.

무늬 애벌레와 노랑 애벌레가

여러 과정과 감정을 겪고 난 후

마침내 나비로 탄생하는 이야기인데,

우리의 삶, 우리의 희망을 보여주고 있어.

이제 내 이야기를 해 볼까?

난 맨발 걷기를 6년간 하루도 빠짐없이 했단다.

그리고 2,000일이 되던 날,

나는 황금 나비로 태어났어!

'단순한 것도 꾸준히 하는 사람이 행복을 잡는다.'는 맨발학교의 교훈이 나의 것이 된 거지.

맨발 걷기 상장 문구에는 이렇게 적혀있단다.

비가 오나 눈이 오나 바람이 부나 서리가 내려도
오로지 나 자신을 지극히 사랑하여 ……
스스로에게 감동받아 나의 꿈과 가치와 자신감이
폭풍 성장 하였으므로 그 정성을 기리어
내가 나에게 상장을 주어 칭찬합니다.

실천을 하고 나서 받은 상장은
감동 그 자체였어.
무늬 애벌레와 노랑 애벌레가
나비가 되었던 그 순간처럼,
나는 멋진 황금 나비로 태어났지!

아, 참!
우리 학교 학생들과도 맨발 걷기를 함께 하고 있단다.
그 추억을 시로 써서

〈새똥 줍는 선생님〉이라는 공저에 수록해 놓았어.

너에게 소개해 줄게.

타임머신 운동장, 마법의 운동장

학교 종이 땡땡땡
아호! 운동장에
아이들보다 함성이 먼저

쭈~욱 걷다가
냅다 운동장 가로지르기
모르겠다 운동장 한 바퀴
나도 운동장 한 바퀴

천만리 머-언
땅속의 속삭임을 듣다가
사뿐사뿐 귀 기울이다가
폴짝 뛰어와서 팔짱 낀다

운동장 돌다가 돌다가
속닥속닥 하하 호호
행복 속으로 빠져보고
운동장 돌다가 돌다가
조잘조잘 재잘재잘
열한 살 유진이도 되어보고

운동장을 또 한 바퀴 돌다가
"병아리 떼 뿡뿡뿡, 봄나들이 갑니다."
노래도 불러 보고
운동장을 돌다가 돌다가
마법의 운동장
타임머신 운동장에 올라탔네

선생님 발령 나서
"우리 손녀, 장조림 해주어야지."
바람결에 들려오는
할머니 목소리
울컥!
눈물을 바람에게 숨겼네

뱅뱅 뱅뱅
구름 사이로 보이는 할머니 얼굴
스무 살 나랑
같이 또 같이
타임머신 운동장
돌다가 돌다가 돌다가….

정말 사랑스런 시구나!

아이들과 함께, 맨발 걷기와 함께, 그리고 글쓰기와 함께

희망을 노래하는 황금 나비인 정아!

너의 모든 희망과 함께하며 지금처럼 늘 응원할게.

넌 참 멋진 사람이야.

11.

김은정_ 지혜를 얻는 시간들

자기 반성은 지혜를 배우는 학교이다.

• 발타자르 그라시안 •

은정아,

너는 '지혜'가 뭐라고 생각하니?

'지혜'라는 단어를 보면 어떤 단어들이 떠오르니?

글쎄.

예쁜 여자 이름 같아.

음,

현명한 태도. 바른 자세. 슬기로운 생각.

'지혜'의 친구들이라고 할 수 있지 않을까?

내 주변에도 '지혜'라는 이름을 가진 예쁜 친구가 있어.

그리고 너의 생각대로

현명한 태도가 지혜일 수도 있겠구나.

그럼, 우리,

현명한 태도에 대해 조금 더 이야기 나누어 볼까?

'지혜'는 세상을 살아가는 데 꼭 필요한 모든 지식, 감정, 태도 등을 다 아우르는 단어 같아.

그중에서도 가장 적합한 의미는 '내가 아닌 다른 사람을 배려하는 자세, 마음가짐, 태도'가 되겠지?

자식을 키우는 엄마 입장에서는 아이들의 마음을 배려해주고 기다리는 게 지혜가 될 수 있을 거야.

게임 삼매경에 빠진 사춘기 아들한테

"너는 뭐가 되려고 이렇게 게임만 하고 있어? 저거 진짜 인간 되겠나?" 소리치거나 비난하지 않고

"그래. 한참 게임하고 싶은 나이지. 적당히 하고 조금 일찍 자자."

세 번 참고 난 후 우아하게 말하는 것, 이것이 지혜라는 생각이 들어.

날마다 다이어트 한다고 외치고도 달달한 간식 앞에 무너지는 나에게 실망하지 않고 작심삼일을 무한 반복하며

"잘했다. 내일은 조금 더 운동하고 적게 먹어보자."라고 셀프 칭찬하는 것도 삶의 지혜가 아닐까?

그렇구나.

힘들면 힘든 대로, 바쁘면 바쁜 대로, 행복하면 행복한 대로 자신의 삶을 잘 살아내며 스스로 반성하고, 느끼고, 깨닫는 그 모든 과정이 지혜를 얻는 시간들인 것 같아.

너의 말을 들으니

한 번뿐인 인생,

멋지고 지혜롭게 살아야겠다는 다짐을 하게 돼.

고마워.

너의 지혜와 미래, 축복하고 응원해.

12.
송태순_ 아름다운 부자

타인의 결점은 우리 눈앞에 있고,

우리 자신의 결점은 우리 등 뒤에 있는 법이다.

• 루키우스 세네카 •

이 세상에 결점 없는 사람은 단 한 사람도 없어요.

아부모(아름다운 부자들의 모임) 총장님,

당신의 결점은 뭔가요?

저는 질문을 조금 바꾸어 생각해 보고 싶네요.

결점을 알려고 하기보다 강점에 집중해 보는 거죠.

강점은 결점을 뛰어넘는 에너지가 있으니 말입니다.

항상 그랬듯 오늘도 긍정의 아이콘인 '나의 빨간 머리 앤'을 불러봅니다.

'네. 주인님. 당신의 강점은 상대를 있는 그대로 바라보려고 노력한다는 것입니다.'

맞아요.

우리 모두는 존재 자체로 놀랍지요.

나도 존중받고, 너도 존중받고, 우리 모두는 존중받아야 마땅한 존재들입니다.

그리고 우리는 서로에게 인생의 좋은 동행자이기도 합니다.

'동행자'라는 단어를 보니 마음이 훈훈해집니다.
함께 걷는 우리는 서로에게 놀라운 존재입니다.
마치 개가를 부르며 전진하는 든든한 조직 같아요.

지금 기분은 어떤가요?

부자가 된 듯합니다.
돈만 많으면 부자라는 생각을 했을 때가 있었지요.
지금은 영혼의 부자가 되어 가고 있습니다.
밥을 먹지 않아도 배가 부르고, 책과 노트와 펜만 있으면 행복한 생각과 글을 마음껏 쓸 수 있는 시간에 감사하는 내가 되었습니다. 그리고 매일 누군가를 만나서 내가 쓴 글을 읊고, 행복 바이러스를 전달하고 있는 내가 충분히 사랑스럽고 만족스럽습니다.
계속해서 글을 쓰고 책을 읽는 나의 삶을 칭찬하고 노래 부르는 지금에 행복합니다.
오늘도 나는 소중한 사람들과 나의 기쁨을 나누면서 그들에게 큰 감동과 공감으로 글 쓰는 삶을 물들이려고 합니다. 내 영혼이 곡식을 쌓아 가고 있습니다. 서로의 곳간을 채우면서 아름다운 부자가 되어 가고 있지요.
나의 강점과 타인의 강점으로 동행하는 삶을 꿈꿉니다.
나는 아름다운 부자 모임 총장이 되었습니다.

정말 멋진 삶을 살고 계시는군요!

결점보다 강점에 집중하여 자신이 잘 할 수 있는 일을 발견하여 실천하는 것, 그리고 사람들과 강점을 나누고 동행하는 삶을 선택하신 것에 큰 박수를 보내 드리고 싶어요.

앞으로의 삶도 열렬히 응원 드리겠습니다.

13.
황원영_ 네가 참 좋아

다른 사람에게 도움 주는 일을 하는 사람은
자신에게 가장 큰 선물을 주는 것이다.

• 루키우스 세네카 •

원영아, 너는 '도움' 하면 어떤 생각이 제일 먼저 떠오르니?

음, 9년간 하고 있는 봉사활동이 생각나.
독거노인들께 반찬을 만들어 드리는 봉사를 하고 있는데, 참 뿌듯하단다.
오지랖이 넓어서 도움이 필요한 사람들은 모른 척 못 지나가겠어.
"가만히 좀 있어. 뭘 그렇게 나서서 그래?"
동생은 나에게 핀잔을 주지만 힘겨워하는 상황과 사람들을 보게 될
때면 얼마나 힘들까, 얼마나 두려울까, 얼마나 도움이 필요할까 하는 생
각이 많이 들어.

9년이나 봉사활동을 하다니, 대단하다!

음식 만들기를 좋아해서 내가 좋아하는 일로
사람들을 도와주면 좋겠다는 마음을 먹었거든.
처음엔 나도 봉사라는 단어가 낯설었어.

하지만, 나의 작은 행동이 사람들에게 도움이 된다고 생각하니까 계속하게 되었어.

고등어 300마리 굽고 잡채를 300인분 만들어도 즐기면서 하니까 하나도 힘들지 않아.

그리고 함께하는 사람들 덕분에 더 행복하게 봉사활동을 할 수 있는 것 같아!

배식할 때 어르신들께서 "감사합니다. 잘 먹었습니다."라고 해주시면 보람을 많이 느낀단다.

정말 대단한 것 같아.

원영아! 너는 누군가를 도와줄 때 행복함과 뿌듯함을 크게 느끼는구나.

너의 선한 마음과 봉사가 다른 사람에게 이로움을 준다는 걸 항상 기억하고 응원할게.

난 네가 참 좋아.

14.
임윤진_ 빛과 그림자

어리석은 자일수록 마음속에 불만을 쌓아두는 법이다.

• 발타자르 그라시안 •

노을아, 넌 '불만'이라는 단어를 보면 어떤 이미지가 떠오르니?

잠깐만.
아! 차곡차곡 쌓여서 곧 터질 수도 있는 폭탄이 떠올라.

폭탄?
맞아. 일반적으로는 부정적인 이미지를 많이 떠올리는 것 같아.
왜 폭탄을 떠올리게 되었는지 말해줄 수 있을까?

나 자신이 부정적인 생각을 하는 게 싫어서 마냥 좋은 방향, 긍정적이고 밝은 쪽만 보려고 노력했었어. 그러던 어느 날, 내가 상황을 왜곡하거나 회피하고 싶어 그러는 걸 수도 있겠다는 생각을 처음 하게 되었어. 모든 것을 좋게만 바라보는 게 스스로에게 좋지 않을 수도 있겠다는 생각 말이야.
그렇다고 불만만 가질 수는 없는 노릇이잖아. 불만과 부정의 폭탄을 잘 해체해서 더 좋은 것으로 만드느냐 아니면 그대로 둬서 폭발할 때까

185

지 기다리느냐 고민을 하게 되었어. 그래서 '불만'이라는 단어를 보면서 '폭탄'이라는 단어를 떠올리게 된 것 같아.

너는 불만과 같은 어두운 생각들을 마냥 나쁘게 보고 있지 않구나.

단편적으로 생각하지 않고 자신을 깊이 들여다보고 있는 것 같아서 너무 기뻐.

지금처럼 언제나 빛과 그림자를 동시에 볼 수 있는 능력을 갖추고 있길 항상 응원할게.

더 훌륭하고 발전된 사람이 될 수 있을 거야.

너의 미래를 위해 파이팅!

15.
류수진_ 나는 예쁘구나

각 개인은 타인 속에 자기를 비추는 거울을 갖고 있다.

• 아르투르 쇼펜하우어 •

거울아, 거울아.

넌 이 세상에서 누가 제일 예쁘니?

활짝 웃는 사람!

웃는 사람을 보면 나도 환하게 웃게 돼.

그러면 그 사람의 모든 것이 예뻐 보이거든.

너도 그래.

맞네, 맞아!

많은 사람을 비춰주었던 네가 가장 예쁘게 보았던 이는 활짝 웃는 사람이었구나.

나도 예쁜 사람이 되고 싶었어.

그런데 왜 내가 가장 사랑했던 사람은 나에게 예쁘다고 말하지 못했을까?

너는 사랑하는 사람에게 예쁘다는 말을 듣고 싶어 했던 거구나.

너의 마음을 상대방에게 표현해 보았는지 궁금하구나.

하지만, 네가 상대방에게 예쁘게 보이고 안 보이고는

그렇게 중요하지 않은 것 같아.

스스로를 예뻐해 준다면 말이야.

이제는 보내줘.

너를 밧줄처럼 묶어 두었던 조그마한 마음을.

활짝 웃는 모습을 예쁘다고 보아주었던 것처럼

세상에는 여러 모양의 예쁨이 차고 넘치잖아.

우리는 있는 그대로의 모습을 인정하고 예쁘게 봐주는

마음의 여유가 필요한 것 같아.

한 사람의 평가에 상처받지 말고

스스로를 예쁘게 평가해 주는 사람이 되어주면 어떨까?

신바람 나게 살아가는 유쾌한 인생가가 되어 보자.

그래서 세상에서 제일 예쁜 사람이 되어 보자.

너의 말을 들으니 내가 참 소중한 사람이 된 것 같아.

아! 원래부터 소중한 사람이었구나!

왜 이제야 알게 되었을까?

나에게 깨달음을 주어 고마워.

상대방이 나를 먼저 예쁘게 봐줬으면 하는 마음보다,

내가 나를 예쁘게 봐주어야겠어.

있는 그대로의 나를 말이야.

16.

이경숙_ 더 큰 기쁨

이 세상에서 여러 기쁨이 있지만
그중에서 가장 빛나는 기쁨은 가정의 웃음이다.

• 요한 페스탈로치 •

이 작가님, 당신은 '기쁨'이라는 단어를 보면 어떤 장면이 떠오르나요?

아침 7시, 맨발 걷기 1시간 하고 돌아오는 길, 가슴에서 몽글몽글 기쁨이 피어나는 것을 느끼는 장면이 떠오릅니다.

와우!
'몽글몽글'이란 단어 또한 '기쁨'만큼이나 신선하게 느껴지는군요.
조금 더 구체적으로 이야기해 줄 수 있나요?

매일 아침 7시면 맨발 걷기를 함께 하는 동지가 있거든요.
비즈니스 동료이자 친구처럼 지내고 있는 김명희 사장입니다.
비가 오나 눈이 오나 바람이 불어도 함께 걸어보자 약속하고 걸었지요.
같은 장소, 같은 시간에 만나 6개월 이상 걷기로 작정하고 그날도 걸었답니다.
'체력이 모든 것을 해결해 준다.'는 믿음으로 걸었지요.

걷는 동안 가슴이 나에게 시키는 문장을 크게 외쳤습니다.

"나는 내가 좋다! 나는 내가 참 좋다!"

이 기쁨을 나눌 가족과 사랑하는 남편, 독서 모임 멤버들 얼굴이 떠올랐습니다.

기쁨이 나에게로 달려와 "친구 하자."라고 말하는 것 같았어요.

기쁨의 일상을 만들어갈 수 있는 보험, '맨발 걷기'를 알려야겠다고 다짐했습니다.

2월 28일, 이정안 교장 선생님을 모시고 맨발 특강을 준비하기도 하였지요.

특강 이후 많은 분들이 함께 맨발 걷기로 초대 되었답니다.

내가 알고 있는 소중한 사람들 모두, 건강하기를 바라는 마음으로 맨발 걷기에 초대 하는 요즘의 나를 응원합니다.

특히 남편과 함께 손잡고 해변 맨발 걷기 하는 모습을 상상하니 더 큰 기쁨이 솟아오릅니다.

정말 멋진 생각과 행동을 하고 계시는군요!

내 삶에서 기쁨이 언제 솟아나는지 확실히 알고, 그 기쁨을 많은 이에게 전하고자 애쓰는 모습에 행복한 미소가 지어집니다. 이 작가님의 기쁨을 통해 세상이 더 밝아진 것 같아요. 매 순간 기쁨과 함께하셔서 지금보다 더 많은 사람에게 작가님께서 느끼고 있는 기쁨을 나누어 주시길 기대할게요.

17.

이성숙_ 응원할게

칭찬은 가장 적은 비용으로 가장 많은 호의를 끌어내는 방법이다.

• 발타자르 그라시안 •

너는 '칭찬'이란 단어를 보면 어떤 느낌이 드니?

칭찬은,
나를 웃음 짓게 하고 날고 싶게 만들지.
신이 나서 춤을 추고 싶기도 하고 말이야.
칭찬은,
참 좋은 친구 같아.

아, 그렇구나!
칭찬은 너를 행복하게 해 주는구나.
어릴 적 심부름을 잘한다고, 아픈 엄마를 잘 도와준다고 할머니께 칭
찬받으면 또 칭찬을 받고 싶어 열심히 심부름했던 네가
환하게 웃던 모습이 떠올라.

맞아.
할머니의 칭찬은 내 삶의 밑거름이었단다.

사람들을 도와주는 것이 나의 행복이 되었거든.

20대부터 시작한 봉사활동이 지금은 어르신들 밥 봉사로 이어지고 있어.

오래 전 꿈인 고아원 설립과 함께

몸과 마음이 건강한 사람이 될 수 있도록 돕는

꿈의 힐링센터를 지을 거야.

남을 먼저 생각하는 너는 참 멋져!

항상 웃으며 기쁜 마음으로 일하는 너의 모습이

사람들에게 희망이 되어 주리라 믿어.

네가 좋아하는 요리와 봉사,

네가 꿈꾸는 미래의 모습을 통해

많은 이들과 웃으면서 행복함을 만들어 가는데 나도 함께할게.

너는 잘 할 수 있어.

너를 응원할게.

이성숙,

아자아자 파이팅!

18.

김명희_ 탁월함의 비결

한마음 한뜻은 쇠를 뚫고 만물을 굴복시킬 수 있다.

• 벤저민 디즈레일리 •

승구야!

'굴복'이라는 단어를 보면 기분이 어때?

음, 별로인 것 같아요.

'한마음 한뜻으로 굴복시킨다'는 표현은 악당 같잖아요.

그래서 제가 문장을 다시 만들어 봤어요.

'한마음 한뜻으로 악당의 마음을 뚫고 한편이 될 수 있다.'

이렇게는 어떨까요?

어머나!

우리 승구, 어떻게 이런 생각을 할 수 있어?

명언까지 바꿀 수 있는 승구의 탁월함의 비결은 무엇일까?

저는 사랑이라고 생각해요.

아빠는 자상하고 엄마는 악당 같았어요.

하지만 할아버지, 할머니와 한마음 한뜻으로 엄마를 사랑했더니 우린 한편이 되었지요.

이젠 마음껏 이야기할 수 있어요.

"엄마, 사랑해요." 라구요.

세상에나! 만상에나!

승구의 마음에는 사랑이 가득하구나!

승구 엄마는 좋겠다.

너의 사랑 가득한 마음 덕분에

세상에는 한편이 되는 사람들이 많아질 거야.

그래서 악당은 점점 사라지고 말이야.

승구의 마음과 지혜를 늘 응원할게.

우리, 함께하자!

19.

민다인_ 글과 함께 좋은 사람들과 함께

이 세상에서 가장 중요한 것은

내가 어디에 서 있느냐가 아니라 어느 방향으로 가고 있느냐이다.

• 요한 볼프강 폰 괴테 •

안나야,

지금 가고 있는 삶의 방향이 옳다고 생각해?

글쎄.

어디로 가고 있는지, 앞으로 어떤 방향으로 가야 할지 잘 모르겠어.

그치? 너의 마음에 공감해.

반백 년을 살아봐도 지금의 방향이 맞는 건지 알 수가 없네.

그런데 성공한 사람들을 보면 책을 읽고 책을 쓴대.

그래서 난,

성공자들이 선택한 행동들을 따라서 해볼까 해.

글을 써 보는 거야.

책이 나오면 완전 신날 거야.

상상만 해도 좋구나.

중요한 건,

지금 내가 글 읽고 글 쓰는 사람들과 함께하고 있다는 사실이야.
이 자리에 있는 것만으로도 축복이지.

정말 멋진 생각이구나!
네 말을 듣고 나니,
이미 앞서가고 있는 사람들과 어울리면서
글과 친하게 지내는 삶을 살아야겠다는 생각이 들어.
나에게 깨달음을 주어 고마워.

안나야,
이미 너에겐 성공의 씨앗이 있었던 거야.
이제 글과 함께, 좋은 사람들과 함께
내면의 보석을 잘 캐내어 보자.
함께해 주어 고마워.
언제나 응원해주는 우리가 되자.

살아가는 기술이란 하나의 목표를 골라서 거기에 집중하는 데 있다.

• 앙드레 모루아 •

민아야,

넌 '집중'이라는 단어를 보니 어떤 생각이 들어?

음, 나를 닮은 듯 해.

꾸역꾸역, 결국은 집중해서 해내는 나를 말이야.

또 하나,

나에게 취약한 영역이기도 해.

너를 닮기도 하고 네가 보완해야 할 점인 '집중'에 대해

조금 더 구체적으로 이야기해 볼까?

나는 지금 84명의 제자들과 현장에서 값진 땀을 흘리며

열정으로 똘똘 뭉친 눈빛을 함께 나누는 에어로빅 강사 일을 하고 있어.

처음에는 '그냥 조금 하다 말겠지.'라며 취미로 시작했단다.

'집중'이라는 단어를 좀 더 빨리 알아차렸더라면,

지금보다 조금 더 성장했을 거라는 생각이 들어.

내 영혼이 "집중!"하고 크게 외치는 것 같아.

나를 조금 더 채워줄 수 있는 멋진 단어야.

그렇구나!

너의 마음엔 이미 성장하고픈 열정과 확실한 목표가 있었던 거야.

많은 제자와 인연이 되어

건강하고 당당하게 살아갈 길을 제시해 주는 일과

성장을 선택한 너의 열정과 목표에 박수를 보낸다.

그래서 넌 최고의 선생님이야.

지금처럼 언제나 '집중'해서 널 응원할게.

민아야, 축복한다.

21.
최경순_ 기회 그리고 진실

작은 기회로부터 종종 위대한 업적이 시작된다.

• 데모스테네스 •

진실아,

너는 '기회'라는 단어를 들었을 때 어떤 생각이 들었어?

기회, 참 좋은 단어구나.

나는 '강력한 힘을 주는 단어'라고 생각했어.

강력한 힘을 주는 단어라고?

멋진 표현이네.

조금 더 구체적으로 말해줄 수 있겠니?

기회가 왔을 때 그것을 잡아야 한다는 생각을 했어.

기회가 나를 성공으로 이끈다고 확신하기 때문이야.

어렸을 때부터 글 쓰는 작가가 되고 싶었어.

혼자 하려니까 막연했는데 아침 독서 모임에 나가면서 기회를 잡게

되었지.

이 기회를 통해 나는 작가가 되었고

더 많은 성공의 길로 가고 있음을 알게 되었어.

여러 가지 좋은 습관이 생겼단다.

글을 쓰고, 아침에 일찍 일어나고, 운동을 시작했더니

내 주변에 더 많은 사람들이 모이는 거야.

내게 온 기회를 잡아 습관으로 만드니 강력한 힘이 된 거지.

너에게 벌써 와 있었던 기회들이구나.

글을 쓰면서 좋은 사람들과 함께하면서

그것을 기회로 잡은 네가 정말 대견하다.

축하해!

앞으로도 너에게 다가올 기회와 꿈이 습관이 되어서

너와 함께하는 사람들 모두 행복해지길 바랄게.

너의 미래를 응원해.

진실아, 수고 많았어.

22.
윤향옥_ 현명한 판단

현명하지 못한 사람은

자기가 이해할 수 없는 일에 대해서는 무엇이든 헐뜯는다.

• 프랑수아 라로슈푸코 •

향기야,

현명하지 못한 사람은 다 그런 거니?

무엇이든 헐뜯는다고 생각하니?

글쎄, 나도 잘 모르겠어.

그 사람이 왜 그럴까?

혹시 그 사람, 마음이 아파서 그런 건 아닐까?

아, 그럴 수도 있겠구나.

그 사람도 누군가에게 상처를 받았을 수도 있겠다.

그 생각을 미처 못 했네.

나도 너처럼 비슷한 상황에서 처음엔 이해가 안 됐어.

화도 나고 짜증도 나고 말이야.

'왜, 왜, 왜 그랬을까? 내가 그렇게 만만해? 자기네들이 뭔데 이렇다

저렇다 나를 판단해? 내 마음을 알기나 해?'라고 생각했어.

그런데 시간이 지나면서 이 또한 현명한 판단이 아닌 것 같았어.

부정이 나를 삼켜 가면서 진짜 내 모습을 잃어가고 있다는 걸 알게 되었거든.

그래서 상대방의 입장에서 생각해 보며 내 마음을 다독이는 데 집중했단다.

지금은 생각과 감정이 많이 정리되었어.

역시 너는 마음이 예쁜 친구야.

너의 그 예쁜 마음이 너를 더 크게 만들어 줄 거야.

너는 이미 충분히 훌륭한 사람이야.

앞으로도 너와 함께하며 너에게 배운 점들을 삶에 적용할 거야.

지금처럼 우리, 사이좋게 지내자.

향기 너를 축복한다.

23.
박보배_ 소중한 나의 감정들

우리의 일상 생활에서 가장 조심해야 할 것은
'사소한 감정을 어떻게 처리 하느냐?'하는 문제이다.

• 알랭 •

보배야!

'사소한 감정'이라는 단어를 보니 어떤 생각이 들어?

나는 '사소한 감정'이란 없다고 생각해.

아무리 사소한 감정이라 해도 나를 표현해 주는 귀한 것이니까 말이야.

눈을 감고 조용히 있으면 수많은 생각과 느낌들이 올라올 때가 있어.

나쁜 기억이 떠오르기도 하지만 좋은 추억이 떠오르기도 하지.

좋은 추억이 떠오를 땐 행복감에 젖어 들기도 해.

누군가에겐 사소하겠지만, 나에겐 아주 큰 행복감이야.

와우! 보배야. 너무 멋진 생각인걸?

너의 생각을 조금 더 구체적으로 이야기해 줄 수 있을까?

경청해 줘서 고마워.

내가 좋아하는 감정은

설렘, 기쁨, 소풍 가기 전날 같은 기대감이야.

내가 제일 싫어했던 감정은 두려움이었어.

어릴 때부터 걱정이나 두려운 감정이 생길 때면

애써 괜찮은 척하면서 살았어.

불안한 감정을 드러내면 큰일이 날 것 같았거든.

그런데 이제는 걱정, 두려움, 불안도

내 감정의 일부분으로 받아들이고 있어.

그러니 모든 감정이 소중한 감정이 되었어.

그렇구나! 정말 많은 변화와 성장을 이룬 것 같아.

보배야, 기쁨의 감정을 경험하게 된 이야기를 듣고 싶어.

응, 그래.

초등학교 4학년 때 어느 날이었어. 속이 불편했던 친구가 교실 바닥
에 구토를 했어. 교실 안 친구들은 더럽다고 도망가기 바빴단다.

난 그 친구가 불쌍해 보였어. 그래서 도와줘야겠다고 생각했지.

선생님도 냄새 때문에 그 친구 옆으로 가지 않았어.

내가 쓰레받기와 빗자루를 가지고 와서 뒷정리를 했던 기억이 나.

누군가가 꼭 했어야 하는 일이지.

나는 내가 잘했다고 생각해. 어른인 지금 생각해 봐도 참 기특해.

사랑을 실천해서 기쁨을 얻을 수 있었다고 할까?

친구들을 도와주고 나면 나에게 고마워하며 웃어주는 친구들 모습을

보는 것이 나에겐 기쁨이었단다.

우리는 혼자서는 행복할 수 없잖아.

서로 돕고 도움받으며 또 나누며 사는 것이 의미 있는 삶이 아닐까 싶어.

슬픔이든 기쁨이든 사소한 감정을 무시하지 않고,

감정의 변화가 있을 때 잠시라도 나를 만나주는 훈련을 하며

내가 좋아하는 것과 싫어하는 것을 알아가는 과정.

그것이 나답게 살 수 있는 방법이자 행복이라고 생각해.

보배의 이야기를 들으니 보배가 어떤 사람인지 알겠어.

크게 칭찬해 주고 싶어.

보배야!

너는 사랑이 무엇인지 그 의미를 알고 있던 아이였구나.

섬세한 너의 마음 결이 참 좋다.

이야기 들려줘서 고마워.

앞으로 너의 감정들을 더 소중하게 여길게.

함께할 수 있어 기뻐.

너의 존재를 축복한단다.

24.
장윤진_ 이미 성공자

계획하지 않는 것은 실패를 계획하는 것과 마찬가지다.

• 에피 닐 존스 •

윤진아,

넌, '실패'라는 단어를 보니 어떤 생각이 들어?

좋은 질문이야.

실패는 계획도 없고 실행도 없는,

그러니까 목적의식 없이 그냥 시간을 흘려보내는 삶이라는 생각이 들어.

실패가 두려워서 어떤 것도 도전해 보지 않는다는 건

참 슬픈 일이야.

우와!

윤진이 네 말에 공감이 간다.

너에게 기억에 남는 경험들이 있니?

응.

난 뉴스킨 비즈니스를 하면서

해마다 회사가 보내주는 석세스 트립(회사가 목표로 하는 기준을, 정해진 기한

안에 달성한 리더들을 대상으로 하는 포상 여행)을 가기 위해

새해가 되면 계획과 전략을 팀들과 나누지.

석세스 트립을 가기 위해 계획을 세우는 순간,

난 이미 그곳 여행지에 가 있다는 상상을 해.

그러면 즐거운 마음으로 움직일 수 있는 에너지가 생기지.

목표를 달성했다는 회사의 축하 메시지와 초대장을 받았을 때에는

감동 그 자체였어.

만약 내가 계획하고 상상하지 않았다면 아무 일도 일어나지 않았을

거야.

윤진이 이야기를 듣고 보니

계획하지 않는 것은 결국 실패를 계획하는 것이나 다름없다는 생각이

들어.

실수가 두려워서 계획하지 않고 시도하지 않는 것,

그것이 실패였구나.

너의 꿈을 이루기 위해

상상하며 계획하며 삶에 집중하는 너를 응원해.

너는 더 큰 꿈을 이룰 수 있는 사람이야.

꿈을 현실로 만들어서

사람들에게 또 다른 꿈을 줄 수 있는

네가 되길 바랄게.

윤진아, 넌 이미 성공자야!

25.
이선정_ 리더의 조건

남을 상하게 하는 자는 먼저 그 자신이 상한다.

• 강태공 •

승희야,
'먼저'라는 단어가 너에게 주는 의미는 뭘까?

좋은 질문을 해 줘서 고마워.
처음으로 떠오른 단어는 '솔선수범 정신'이었어.
'솔선수범 정신'은 리더의 조건이라고 생각하거든.
나는 리더가 되고 싶어.
엄마는 가정의 리더이자 자녀들의 리더가 되어야 하니까.

리더의 조건을 이렇게 정의내리고 있었다니,
멋진 생각인 것 같아.
그럼 넌 리더가 되기 위해 어떤 노력을 하고 있니?

많이 배우려고 해.
배우는 것을 좋아하기도 하지만,
지식이 있어야 사람들을 지혜롭게 안내할 수 있거든.

명확한 꿈과 목표를 세울 수 있도록 비전을 제시하고

내가 솔선수범하면서 리더자의 모습을 보여주어야 한다고 생각해.

그리고 쉽진 않지만, 말과 행동이 일치하는 사람이 되기 위해서도 노력하고 있어.

그래서 제일 먼저 나를 사랑하려고 해.

60년 나의 삶을 돌아보니 젊었을 때는 나를 사랑하며 살지 못했던 것 같아.

이제는 내가 진정으로 좋아하는 일이 무엇인지,

내가 원하는 삶이 무엇인지 생각하며 살고 싶어.

내가 나를 사랑해야 남도 나를 사랑해줄 수 있잖아.

그래서 난 퇴임 후에 건강 요리도 배우고 여행도 다녔단다.

책도 자주 읽으면서 이제는 글쓰기도 하고 있어.

배운 것을 다른 사람들과 나누며 행복을 맛보고 있지.

글쓰기를 시작하고부터는 주변 사람들에게 같이 행복해지기 위해

글 쓰자는 얘길 많이 하고 다녀.

글을 쓰면서 나를 발견하게 되고 나를 사랑하는 삶을 살 수 있게 되더라.

그게 행복인 거지.

내가 먼저 행복해야 다른 사람들에게 행복을 나누어 줄 수 있으니까.

너를 사랑하는 모습, 멋지다!

진짜 리더가 되기 위해 노력하며 행복한 삶을 살고 있구나.

나도 너처럼 끊임없이 배우고 사람들을 사랑하며 내 인생의 리더가

되고 싶어.

리더로서 너의 꿈과 목표를 반드시 이루어내길 응원하며 축복할게.

사랑해, 승희야.

부드러움과 친절은 힘과 결단력의 표현이다.

• 칼릴 지브란 •

가끔 말도 되지 않는 투정을 부리고 싶을 때가 있다.

되지도 않을 억지를 부리고 싶을 때도 있다.

솔직한 마음으로는 말도 안 되는 소리라는 것을 알지만

그저 내 편이 되어주었으면 할 때가 많았다.

일반적으로는 그런 사람을 만나기란 쉽지 않다.

나에게는 그런 사람이 있다.

억지인 줄 알지만 의문하지 않고

'맞다맞다.' 해 줄 사람이 있다.

그녀의 끄덕이는 고개 덕분에 나는

다른 결단에 도전할 힘이 생긴다.

억지를 부리고 있다는 것은 이미 스스로 알고 있으니 말이다.

그냥 고개를 끄덕여주기만 하면 된다는 것을

전희숙, 전애숙 자매를 통해 알게 되었다.

부드러움과 친절함은

힘이 있고 결단을 끌어들이는 것이 확실하다.

27.
신임선_ 베푸는 삶

친절도 계속 베풀다 보면 그중 하나가 마침내 마음을 넘쳐흐르게 한다.

• 제임스 보즈웰 •

원주야,

'베풀다'라는 단어를 보니 어떤 생각이 들어?

내가 좋아하는 단어야.

그래서 사람들에게 자꾸 베풀고 싶다는 생각이 드네.

베풀 수 있는 사람이 되기 위해 몸과 마음을 관리한다.

인내를 배우고 글도 쓰고 운동도 하고 있지.

난 베푸는 게 참 좋아.

내 삶의 의미이기도 하고 말이야.

이야! 베풀 줄 아는 사람! 정말 멋진걸?

베푸는 삶을 산, 인생 롤모델이 있니?

응. 우리 엄마야.

나는 엄마가 늘 베푸시는 모습을 보고 자랐어. 어느 날,

"엄마 나는 베푸는 것을 못 하겠어."라고 말씀드리니 엄마가 이렇게

대답하셨어.

"웃는 모습도 베푸는 거란다."

그래서 자꾸 웃었어.

부부싸움 할 때도 웃으니 남편이 화를 낸 적도 있어.

웃으면 모든 문제가 해결될 것 같았거든.

여튼, 지금도 많이 웃는 것을 베푸는 것이라고 생각해서 잘 웃으며 살고 있어.

네가 선택한 베푸는 삶 그리고 웃음을 응원할게.

여생 동안 너와 함께하며 나도 베푸는 삶과 웃음을 배우고 싶어.

나에게 배움을 선물해 줘서 고마워.

28.

최영혜_ 서로가 서로에게

모든 최악의 기본은 조바심과 게으름이다.

• 프란츠 카프카 •

사랑아, 너는 '기본'이 뭐라고 생각해?

글쎄. 뭘까?

사전에서 뜻을 찾아보니 '사물의 근본 또는 어떤 현상을 이루는 바탕'
이라고 해.

아, 그런 뜻이 있었구나.
그럼 너는 기본을 지키기 위해 어떤 노력을 해봤니?

난, 인간관계가 삶의 전부라고 생각하고
인간관계에서 기본을 지키는 것이 중요하다고 봐.
쉽기도 하고 어려운 일이기도 하지.
하지만,
서로가 서로를 존재로서 인정해 준다면 가능한 일이야.
사람은 가치관이나 삶의 방식들이 다 다르잖아?

그래서 서로의 다름을 인정하고

그럴 수도 있겠다는 이해해 주는 마음이 참 중요한 것 같아.

상대를 존중해주고 매 순간 내가 할 수 있는 것에 집중하니

관계가 훨씬 유연해지더라고.

나 자신도 바꿀 수 없으면서 타인에게 충고하고자 하는 태도는 진실하지 않다는 생각이 들어.

그래서 난 깨달은 것이 있으면, 하고 싶은 것이 있으면 내가 먼저 실천해 본단다.

그러면 하늘도 감동했는지 내 주변에 많은 변화들을 보여주곤 했었어.

넌 참 진실하구나.

솔직하게 말해줘서 고마워.

니 말을 들어보니 나도 공감이 된다.

너를 알게 돼서 얼마나 감사한지 몰라.

서로가 서로에게 힘이 되어 주며 끝까지 함께 하자.

29.
박수진_ 외롭기도 하고 유쾌하기도 한 시간

남을 판단하는 것보다 자신을 판단하는 게 훨씬 어렵다.

• 앙두안 드 생텍쥐페리 •

수진아, 네 앞엔 큰 거울이 있어.

사람의 내면을 들여다볼 수 있지.

신비롭지 않니?

나의 겉모습이 아닌,

잠재의식 속 또 다른 나를 만나보는 시간을 가져 봤으면 해.

감춰진 이면의 내 모습.

날 드러낼 수 있는 용기를 내어볼까 해.

난 어떤 사람일까?

남들에게 비춰진 모습은 어떠할까?

나는 무수한 질문을 던진다.

의문들에 답을 내리지 못한 채, 그렇게 익숙한 채

아집, 편견, 오만, 자기 합리화로 방어적인 삶을 살아온 것 같아.

나는 관찰하기를 좋아한다.

사물이든 사람이든,

자연의 변화, 아이들의 행동이나 쫑알거림은 즐거움이자 치유의 힘이
되어 주었어.

어른들은 유하지 못했던 거 같다.

스스로에겐 관대하며 타인에겐 엄격하고

정해진 잣대로 판단하고 평가했던 것 같다.

정작 스스로를 돌아보지 못한 채 말이야.

나라는 실체, 너라는 실체, 나와 마주한 너도 또 다른 나임을 잊은 채,

당연한 듯 살아온 시간들.

이제는 종종 뒤를 돌아보려 해.

이제는 종종 내 마음을 들여다보려 해.

이제는 종종 솔직해 보려 해.

외롭기도 하고 유쾌하기도 한 시간이 될 거야.

그리고 난,

진짜 나의 모습을 찾게 될 거야.

30.
조경미_ 문제는 기회다

모든 장애물이 곧 기회라는 것을 명심하고 장애물을 찾자.

• 로버트 슐러 •

경미야!
너는 그동안 삶의 장애물을 어떻게 넘어온 것 같아?

처음엔 그냥 힘들다고만 생각했어.
그런데 지금은 내가 더 어른스러워지고 생각 주머니가 커지려는지
잘 헤쳐 가고 있는 것 같아.
인생에서 넘어야 하는 허들을 만나면
나에게 오는 큰 기회를 알아차리라는 사인 같기도 해.
힘든 경험들을 배움이라 여기니 멘탈이 강해졌단다.
모든 상황을 유연하게 바라볼 수 있는 여유가 생겼다고나 할까?
여튼, 감사할 내용들이 참 많아.
감사하는 삶을 살아가면서
사람을 이해하고 받아들이는 모습으로 성장하고 있어.
아픔이 길이 되고, 상처가 고마움이 되었지.
생각이 달라지니 말이 달라지고 말이 달라지니 행동이 달라졌어.
그리고 진실한 인생 친구들을 만나게 되었단다.

삶의 장애물들은 인생의 어둠이 아니라

새로운 기회들을 누리게 하는 통로임을 알게 되었어.

경미야!

정말 훌륭한 생각으로 잘 살아가고 있구나.

그동안 잘 견뎌오느라 수고했어.

혼자 묵묵히 견뎌 오느라 힘들었지?

넌 앞으로도 잘 할 수 있어. 문제를 기회라고 여기는 너는 어떤 어려

움도 이겨낼 거야.

이제 너의 꿈을 향해 나아가렴. 너의 모든 것을 응원하고 축복할게.

31.
이숙현_ 사랑의 마음까지

남의 좋은 점을 발견할 줄 알아야 한다.

이는 남을 자기와 동등한 인격으로 생각한다는 의미를 갖는 것이다.

• 요한 볼프강 폰 괴테 •

현아, '동등함'이라는 것은 무엇일까?

'동등함'이라, 오랜만에 들어보는 단어구나.

다른 사람과 내가 다르지 않음을 안다는 것,

또는 다른 사람과 내가 다름을 인정하는 것,

그래서 사랑의 마음까지 확장시키는 게 아닐까 싶어.

다툼은 늘 상처를 남기지.

의견이 다르다고 완곡하게 표현할 수 있겠지만 섭섭하고 화가 나는 건 어쩔 수 없는 것 같아. 아주 어렸을 때 형제와 싸우거나 친구와 싸운 경험은 누구에게나 있을 거야. 하지만 아무리 큰 싸움이라고 해도 이유를 명확하게 기억하는 일은 쉽지 않지. 싸움의 명확한 원인도 모른 채 기를 쓰면서 이기려고 했을 거야. 미안하다 잘못했다는 말을 들으려고 그렇게 싸워댔던 것 같아.

이런저런 뉴스를 보면 얼굴을 찡그리게 되거나 화가 나는 세상이야.

다툼과 싸움이 뉴스거리가 된다는 것을 모르진 않지만 정말 기가 차고 해도 해도 너무한다는 생각이 들어. 결국은 뉴스에서 멀어지는 것이 정신 건강에 좋을 것이라는 결론에 이를 정도로 말이야.

다행히 나는 나쁜 일로 뉴스에 나올 사람은 아닌 것 같아. 주변에 있는 지인들도 배울 점이 많은 사람들이라서 타인의 장점을 보아주고 서로를 존중하는 경험을 많이 하게 된단다. 배려하고 아껴주는 마음 없이는 누군가를 오랫동안 만나기 힘든 일인데 나에겐 소중한 사람들이 많다는 사실에 감사하게 돼.

글을 쓰면서 생각해보니 가장 가까운 가족들에게는 좋은 점을 발견하기보다는 어떻게 하면 내가 생각하는 바른 방향으로 변화시킬 수 있을지 고민만 한 건 아닌지 반성을 하게 되네.

부모님에게 운동을 하시라고 하면 마음처럼 움직여지지 않는다, 답답하다, 젊은 시절엔 이렇지 않았다 하시지. 부모님의 서글픈 마음을 헤아리지 못했어.

남편의 짧은 대꾸들을 내 마음대로 해석해서 단조롭고 성의 없는 반응으로 여겼어. 평온함과 신뢰의 반응이었을 수도 있는데 말이야.

아이가 말대답을 하고 자기주장을 강하게 내세울 때면, 자신만의 세계를 준비하고 있으니 어떻게 응원해 줄까 고민하기보다는, 이렇게 힘들게 애쓰고 있는 엄마를 몰라주는 아이에게 섭섭한 감정만 가졌어.

'동등함'을 배워야 할 차례인 것 같아.

그랬구나.

우리 인간들은 어떻게 행동해야 하는지 잘 모르기 때문에 싸움이 생기는 것은 아닐까? 서로의 장점을 발견하기 위해 노력하고, 공감을 목적으로 이야기한다면 다툼이 일어나지 않을 거야. 생각이 다름을 인정하기, 이것은 풍부하고 깊이 있는 대화를 이끌어 낼 수 있는 최고의 방법이라고 생각해.

그래서 네가 말한 것처럼, 사랑의 마음까지 확장해 나간다면 따뜻한 사람 따뜻한 세상이 될 수 있을 거야.

'동등함'에 대해 깊이 있게 생각할 수 있는 기회를 주어 고마워.

너와 대화하는 시간이 즐거웠단다.

멋진 내 친구, 늘 응원할게!

나의 글을 바라 봄.
태아의 엄마와 이어 봄.
한 문장을 배워 봄.

세 번의 봄으로

우리들의 봄이 왔다.